U0115547

A Basketful of Snowflakes
One Mallorcan Spring

by Peter Kerr

马略卡之春：
雪花满篮

［英国］彼得·凯尔 —— 著
李晓育 —— 译

译林出版社

图书在版编目（CIP）数据

马略卡之春：雪花满篮 /（英）彼得·凯尔（Peter Kerr）著；李晓育译．—南京：译林出版社，2023.1

（马略卡的四季）

书名原文：A Basketful of Snowflakes: One Mallorcan Spring

ISBN 978-7-5447-8976-9

Ⅰ.①马…　Ⅱ.①彼…　②李…　Ⅲ.①随笔 – 作品集 – 英国 – 现代　Ⅳ.①I561.65

中国版本图书馆 CIP 数据核字（2021）第 256990 号

著作权合同登记号　图字：10-2017-511 号

马略卡之春：雪花满篮　［英国］彼得·凯尔 / 著　李晓育 / 译

责任编辑　赵　奕
装帧设计　任凌云
校　　对　王　敏　孙玉兰
责任印制　单　莉

原文出版　Summerdale, 2005
出版发行　译林出版社
地　　址　南京市湖南路 1 号 A 楼
邮　　箱　yilin@yilin.com
网　　址　www.yilin.com
市场热线　025-86633278
排　　版　南京展望文化发展有限公司
印　　刷　江苏凤凰通达印刷有限公司
开　　本　787 毫米 × 1092 毫米　1/32
印　　张　9
版　　次　2023 年 1 月第 1 版
印　　次　2023 年 1 月第 1 次印刷
书　　号　ISBN 978-7-5447-8976-9
定　　价　49.00 元

彼得·凯尔致中国读者的信

“这一切恍如一场美梦：一家人放弃了在苏格兰恶劣的气候下牧牛，转而来到 1500 英里[1] 外阳光明媚的西班牙马略卡种起了橘子。”

这是英国原版《马略卡之冬：雪球橘》的介绍文字，千真万确——除了非常重要的一点：我们这么做不是为了“圆梦”，而是因为在 1984 年，我们家传承了好几代的小农场在“以大为美”的现代化农业环境中不再可行，那时，机械化农作方式已成为苏格兰农村的主流。因此，几乎可以说是极不情愿和恐惧万分地，我和妻子决定放弃这片珍藏于心的安全和熟悉的土地，冒险在遥远的异乡另谋出路。在那里，家庭作坊式的小农场仍占主流。

当您读到这些关于我们马略卡冒险的记述时，您会发现

1　1 英里约合 1.609 公里。

我们对赖以为生的新农作方式一无所知，看似闲散的田园生活给我们带来了巨大的考验。我们遭受了相当多的挫折——如果不算是彻底的灾难的话——同时需要学会用一门新语言交流，努力调整我们的生活节奏以适应截然不同的气候和文化，去融入这个亲密无间的乡间社区，这个依然保留着古老传统生活方式的社区可不太习惯我们这些外来者闯入。但是，若诸事不顺，便以笑为良药——这句老话成为我们的座右铭，我们也随之开始了令人兴奋的生活新篇章。

我们的小橘子农场坐落在雄伟的特拉蒙塔纳山褶中，在这里，我们的邻居只有马略卡老村民，他们依然保留着传统生活方式，对新技术的主要让步是用小型柴油拖拉机代替驴或骡子。除此之外，他们照料果园，耕种农田，像祖祖辈辈一样一成不变，过着简单、从容的生活。他们很难理解为什么我们要从那么远的地方搬来这里，还带着两个年幼的儿子，来迎接这样一个连本地人家的孩子都不肯接受的未来。山谷中的下一代更喜欢去西班牙热闹繁华的海滨度假胜地，找份酒保或服务员的轻松工作，然后投身于西班牙灯红酒绿的聚会之中。

毋庸置疑的是，这些精明的乡下人一开始对我们疑虑重重，也许还曾怀疑我们是不是把脑子都丢在了苏格兰——管它苏格兰究竟在哪儿。然而，当他们清楚地认识到我们不是那种人傻钱多的疯狂外国人，而是预算紧张、勤劳肯干、自力更生的普通人之后，他们便接纳了我们一家，慷慨地出主意，尽力帮忙。

大多数当地人终其一生也不会走到比山谷到首府帕尔马之间的这20英里更远的地方去，即使有人需要去更远的地方，这种情况也十分罕见。因此，毫无意外地，他们特别喜欢问我们这一代人为什么对旅行如此着迷。一位老者认为，就算旅行真的可以开阔眼界，显然它并不是对每个人都适用。“毕竟，”他说，“如果一头驴子去旅行，并不意味着它回来就能变成马了。”他直接拿自己的儿子举的例！

巧合的是，多年后在欧洲大陆的某个图书节上，我受邀参加了一场类似主题的讨论会，虽然现场并没有同样尖刻的幽默意味。该国长期以来禁止出国，这一禁令直到最近才放宽，因此对许多人来说这是第一次可以自由出国旅行的机会。现场听众们很热切地希望听我这个局外人对他们长期被剥夺的权利给出点评。

有人问我：“离家远行是找到自我的好方法吗？是唯一的方法吗？旅行能不能带来幸福？”回答时我小心翼翼地避免引用那位马略卡岛老邻居“驴/马比喻”的原话，尽管那个比喻无比精准。显然，这种场合下人们希望听到更积极的回应。因此，我向他们建议，如果你的旅行是搭乘飞机前往阳光明媚的地方，在海滩上懒洋洋地躺上几周，那回家时你会快乐而满足，但不会使你比离开时更聪明。但如果你们骑自行车探索异乡的风土人情，或是在城市中漫步，发现并汲取这个地方和居民的特质，而不仅仅是参观景点，那么你的这趟品尝异国精髓之旅会让你获益良多。

我总结说，一切都取决于你对幸福的定义。就这么简单。但最好也提醒一下各位，无论如何都不能忽视财务问题。最重要的是要铭记一句老话：对旅人而言，最沉重的行李就是一个空钱包，也就是说，不管怎样，大家都要记得给自己留够买返程机票的钱。毕竟前路难料。

看着有些人脸上不服气甚至迷茫的神情，我不禁想，如果你总是想找寻求快乐的最佳方式，你很可能会一直郁郁寡欢。因此，为了缓解紧张情绪，我最后总结，虽然这山看着那山高，但别忘记月是故乡圆。有一首多年前的流行歌，歌词非常在理：

> 你往东走，
> 你往西走，
> 但总有一天你会发现，
> 幸福就在你眼前，
> 就在你的后院里。

三十多年后回看我们的经历，我只能说，在异国他乡开始新生活是一次真正充实的经历，不仅让我们意识到不同国籍的人的相似之处，而且教会我们要记住自己是客居者：如果想受到主人的欢迎，就要先尊重他们。

虽然命运为我和家人提供了这个机会，让我们踏上了一段令人惊喜的旅程，但并不是每个人都能获得这样一个改变人生的机会。我猜，这也不是人人都想要的。同理，对那些总抱怨自己原生地的人来说，去别处旅行可能也不是他们寻找幸福的最好方式。以我们马略卡老邻居的子女为例，年轻一代已经放弃了他们祖先长居的乡村，转而投身于现代都市生活的“进步”喧嚣之中。尽管老人们早已过世，他们小小的土地也被新型农业合并成更大、更“高效”的合作社，但许多离开的人现在依然会在周末回到这片他们年轻时生活过的简陋家园，向他们的孩子介绍这里过去的生活。那些旧时光，伴随着时间的消逝，都变得熠熠生辉。

眼下，全世界都在努力从这场全球大流行病的悲痛影响中恢复过来，人们有更多机会前往他们喜欢的目的地，也许国与国之间会形成一种新的情势，合作、信任、谦虚和相互尊重都更加重要。这听起来像是遥不可及的美梦，也许吧，但肯定是一个值得拥有的梦想。如果命运如此决定，这个梦想显然值得追寻。

彼得·凯尔

2021 年 9 月

翻译：李宇华

2021 年 10 月

如果你突然来到我去过的地方，
在杏花间的阳光下；
如果你梦见并看到了我所看到的，
古老的灰橄榄和古老的灰色塔楼；
如果，在迷惑中，你发现
越过群山，在晚星下，来到你身边的
羊铃的叮当声，或那蓝色的
光芒从快乐的野花间散发；
如果你已经飘到了那片仙境，
在喜悦中迷失又迷失，
和我一起散步，向西班牙
眼睛微笑的孩子们挥舞友好的手，
整天看着年轻的月亮飞翔……
那么，你就和我发过同样的甜蜜誓言。

——约翰·高尔斯华绥《马略卡的甜蜜誓言》

目　录

— 1 —

派对动物的不幸事件

“先生，你行李中的动物食品属于违禁品，恐怕过不了海关。”

“这怎么可能？违禁品？”

“是的，它可能会妨害公共卫生安全！”一位海关检疫员用手捋着浓重的胡须果断地说，“如果不能提供有效证明，这种食品是不准进入西班牙境内的。”

我想这个时候乔克·彭斯的肺都要气炸了，“有效证明？”

“是的，先生。官方许可证。”那位检疫员换了只手继续捋着胡须再一次强调说，“这是必要的手续。”

无奈的乔克嘴角露出一丝如躁狂症患者发病时的神经质冷笑。“看在上帝的分上！”他有些气急败坏地说，“见鬼！有谁见过还要为羊杂碎去开证明的？我的老天！”

此时正值一月，在这个美丽的地中海小岛上，短暂的冬日已悄悄被春风吹醒，当地人把这个季节称为“风和日丽的一月”。可是，此刻在帕尔马机场海关接受开箱检查的乔克却无暇感受这份浓浓春意。

“携带此类物品应该提前申报，先生。”那位检疫员一边说，一边谨慎地将包裹着由苏格兰羊心、羊肺和羊肝所制成的食品的超大锡纸包装剥开，“任何动物，不管死活，没有许可证，一律不准入境。”他说着，又凑近瞟了一眼这些不受待见的羊杂碎，毫不客气地说：“尤其对‘猪’，更要严格检查。猪瘟和口蹄疫所带来的危害你应该很清楚！这对马略卡的养猪农户都有潜在风险。”

“这些羊杂碎可不是‘猪’！”乔克几乎是吼出来的，“事实上，这些东西根本都算不上动物。”

“可是，在我看来它就是一头死猪仔。”说着，那位检疫员又弯下身来，侧着身子轻轻嗅了一下，“而且闻着也没有什么不同啊！”

乔克在心里数到十，然后一把掀开整片锡纸，冷笑着用流利的西班牙语对那位检疫员说：“看看！先生！凑近了再看一看！我的朋友！你是在这里看到了猪腿还是看见了猪蹄？这上面是有个嘴里含着苹果的脑袋，有尖牙，有朝天鼻，还是有一个卷着的小尾巴啊？”

说到这儿，乔克停下来，等着这位检疫员的反应。

检疫员又向前凑了凑，保持他认为比较安全的距离，看了看这些打开的羊杂碎，谨慎地摇了摇头。

“所以啊！”乔克涨红了脸，情绪激动地说，“你再看看，看看它长了猪眼睛还是猪屁股？”

检疫员很不高兴地皱了皱眉，又摇了摇头。

“这样看来，”乔克终于忍不住大吼道，“这根本就不是你说的他妈的什么‘猪’。是这样吧，朋友！”

作为马略卡岛上的新移民，我对这里的一切还不是很熟悉，更不能像乔克一样说一口流利的西班牙语。我非常羡慕乔克坚持己见的本事，他对付当地人很有一套，常常可以用带有攻击性的态度自信地与官僚作风十足的官员周旋。自从佛朗哥独裁统治后期他就工作生活在这个国家，因此，他清楚地知道有些话在当时可能会有被捕的危险，但在现在这个自由的“领导集团”下，是不会有什么事的。可是，今天的状况有点特殊，他说破嘴皮也无济于事。

“在你能够提供有效证件之前，这东西将暂时交由检疫中心保管。”那位海关检疫员面无表情地说道。

“有效证件包不包括它们的护照啊？”乔克挖苦地问道，不过这句话乔克用的是英语（在我看来这绝对是明智之举）。我听了忍着没笑出声来，可是，乔克无法放过任何一个哗众取宠的机会，用西班牙语（这倒显得不那么聪明）补充道：“你知道吗，官方证明上可是写着这家伙叫安格斯·麦克斯波伦——雄性，出生于苏格兰的爱丁堡——是大不列颠女王陛下和伟大的羊杂女皇陛下的忠实臣民。”

听了这话，检疫员抬眼看了看乔克，然后稍作停顿，从桌子下面拿出一个大塑料袋，伸直了胳膊将口袋打开。“就放在这里了！”他说，“按规定，三天后你要是不能补齐相关的有效证件，这些东西就会被处理掉，是销毁还是驱逐出境将由你自己决定，费用也将由你个人支付。”

尽管不情愿，此时的乔克已经清楚任何语言都于事无补。“好吧！”他咬牙切齿地说，“记着要冷藏啊！我的朋友。我会回来的，很快！”

乔克转身离去时，我发誓我瞥见那位检疫员浓密山羊胡遮掩下的嘴角露出了一丝得意的笑容。可能吗？我觉得有些不可思议，像这样的一位政府官员也会有如此风趣的心境吗？起码他此时已经完全击毁了乔克那有限的耐心。

“三天啊！”他在乔克的身后高声说道，刚才那诡秘的神色不见了，“记住只有三天的时间，先生，否则，它们将和你说再见了，这些……杂碎！”

对我来说，这是难忘的一天，本来开始是如此平淡，谁也没料到此后会发生那些充满戏剧性的插曲。可是和乔克·彭斯相处的日子，总是会有一些难以预料的事情发生。

一月的马略卡正是柑橘收获季，而对于我们这个坐落在特拉蒙塔纳山谷中的小农庄来说，更是一年中最繁忙的日子。我们的农庄名叫“市长府邸”，这是我们搬来这里的第二个年头，一年前，我和妻子艾莉带着两个孩子放弃了苏格兰老家的养牛和大麦种植业来到这里。在此之前，我们苏格兰“家里”的农庄只有五十英亩[1]的面积，这对于在当地更流行的大庄园农业发展环境和前景来说实在不足挂齿。我们搬来这里生活完全是因为一次偶然的机会——没有经过深思熟虑，我们更没有任何种植和经营橘园的经验——一次在马略卡度假时，我们发现了这个小农庄，于是就冲动地倾尽所有将它买下，像我们对橘子或者说水果种植一无所知这样的小细节，完全被我们抛在了脑后。既然命运给了我们这个机会来到这座秀丽宜人的地中海小岛上生活，何乐而不为，还有什么顾虑呢？至于将来的一切，是好是坏，随它去吧！

时间过得很快！来到岛上不久，我们就发现生活并不像想象中那么轻松，不仅暗藏危机，甚至还有覆灭的危险。对果树种植的无知让我们忽略了一些常识：由于这个果园已经长期疏于照管，许多果树奄奄一息，果园的经营状况令人担忧。如果没有住在附近那些年长的邻居帮助和指教，特别是当地的树医佩佩·苏沃先生几次专业的诊治，很难想象我们将如何维持生计。现在，经过一年的辛苦劳作，夹杂着一

1　1 英亩约合 4 047 平方米。

些紧张的小插曲，我们已经顺利渡过难关。果园渐入佳境，果树已慢慢康复，累累硕果挂满枝头。而且，我们没有赔钱——尽管只是收支平衡。

“四十公斤克莱门氏小柑橘，五十公斤中国柑橘，还有一百公斤巴伦西亚柑橘，”艾莉核对着赫罗尼莫先生的订单说，“他上午晚点会来取货。”赫罗尼莫先生是我们这里的水果经销商。实际上，我们果园的这些柑橘除了要留一些卖给我们刚满十三岁的小儿子查理班上同学们的妈妈，大部分都卖给了赫罗尼莫先生。

我们已经习惯了这样一套流程：无论是赫罗尼莫先生本人亲自来收购柑橘，还是我们自己沿着海岸线将水果送到赫罗尼莫先生位于佩格拉小镇上的仓库，他通常都会顺带写一张便条告诉我们他第二天的需求。这样，我们就会在他来提货的头天晚上将橘子摘下装箱，运回农舍，第二天早上验货、过秤、送货。这是一套简便易行的方法，晚上采摘水果时气温较低，可以保证我们这个小小农庄供应的水果绝对新鲜。通常我们只会按照订单上的需求采摘水果，所以一般来说，我们不需要预留存货。假如在没有事先准备的情况下突然来一个订单，我们会措手不及，不能马上交货。好在这种事也不会经常发生，不过，这一天我们就遇到了这样的情况。

我和大儿子森迪正在门外街边老角豆树的树荫下把赫罗尼莫先生订单上的最后几箱橘子堆起来，在屋里接完电话的艾莉冲着我们喊道："中国柑橘和巴伦西亚柑橘还得再各来一百二十公斤！"

我擦了擦流到眼角的汗水，喘了口气说："今天赫罗尼莫先生真是生意兴隆啊！"

"这批货不是给他的，"艾莉说，"是法国人安迪的电话。"

法国人安迪本名叫安德鲁，我们已经习惯把他的国籍和名字连在一起，这样显得更亲切。他的两个孩子和我们的小儿子查理是同学。结识他们对我们来说是一件非常幸运的事，安德鲁和他的太太约瑟芬十分友善，我们两家人很快就成了朋友，更重要的是法国人安迪是他们家族企业中负责水果进出口生意的董事。他们的企业非常庞大，在法国、英国、非洲以及西班牙本土都有分公司，如今，他们又把生意做到了他父亲的出生地——马略卡岛上。说实话，我们一直觉得像"市长府邸"这样一个小农庄作为货源对于他们如此庞大的企业来说实在是微不足道。然而，法国人安迪就是这么一个善解人意的家伙。他非常清楚每一分钱的收入对于处在创业阶段的我们都非常重要，因此，他总是尽可能为我们提供每一个能够赚钱的机会。

"今天下午两点钟之前，一定要把这些货送到他机场附近的仓库中，"艾莉说，"他们公司运往马赛缺的货需要尽快补齐。另外，他还需要一些熟柠檬，让我们有多少就凑多少。"

尽管现在是早晨，可是在这里，刚刚过八点，山谷中的温度就已经升得很高了，完全可以和苏格兰的盛夏相比，真是典型的“平静的一月”里的一天。看样子，今天又是一个大热天！通常在这样的天气里，大家是没有心情赶工的。但今天的可是一笔诱人的生意啊——法国人安迪通常都是付现金的。

“快来吧！”我笑着对艾莉和森迪说，“拿上篮子、梯子和剪子，这可是难得的赚钱机会啊！”

可艾莉和森迪此时好像还没有接这个活的心情。

“嗯，我觉得如果要赶这个活，是要付加班费的吧！”森迪的语气中似乎已经没有商量的余地了。

森迪今年已经十九岁了，对于这个年纪的孩子来说，从父母这儿拿到的零用钱与真正从雇主手中挣到的工资在意义上是完全不一样的。其实，他在我们这个小农庄帮工得到的工钱也并不比我们给他的零用钱多——有时甚至还更少。森迪也曾向我们透露过他未必会一直待在这里。艾莉和我都很清楚，他已经习惯了过去在英国的生活状态，他更向往那种现代化、机械化、大庄园的经营方式。但是，当我们看上这个小农庄的时候，他还是义无反顾地支持我们举家迁往马略卡从事这种小作坊式农耕经营。他明白，我们现在必须辛勤耕作，才能使这个业已破败的农庄重现生机，他毫无怨言地给我们做帮工，并且会一直坚持到今年夏天。之后，他再决定自己的去留。

我们在马略卡每卖一公斤橘子能赚到的钱也就跟英国一个橘子的价钱差不多。因此，我们现在付给森迪的工资实在微乎其微。但是，今天法国人安迪的订单对我们来说真是一个意外的惊喜。屋外阳光明媚，鸟儿在歌唱，整个山谷都沐浴在一种静谧而神秘的气氛中，就连四周的群山都显得比往日清朗宁静了许多。我现在的心情好极了，还有些奇怪的慷慨：一想到森迪，我难免觉得很内疚，这是因为一直以来，森迪拿到的工资都少得可怜。

“嗯……我能不能拿点加班费啊？”森迪脸上的笑容显得有些勉强，说明他并不完全是在开玩笑。

“没问题！”我拍了拍他的背，冲他笑着说，“何止是加班费啊，这次法国人安迪订单收入的一半都归你了，你看怎么样？”

森迪眯缝着眼睛瞅着我，就好像我的头上突然长出一只角。“你别逗我了。”他说。

我摇摇头，“说实话，你一直都这么努力工作，偶尔给你发一笔奖金也是应该的啊！”

“一半？你的意思是说这次卖橘子所得的钞票有一半都分给我？”

“没错！”

“真的？那好吧。”森迪笑了，“就照你的意思，拿上篮子，还有梯子、剪子，干活去啦！”

“呃……那么，你的另一位劳工怎么办？”艾莉用一种典型的不许胡闹的商业谈判口吻问道。

“你说什么？亲爱的。”我装出一副很费解的样子问道，其实我心里很清楚艾莉想要说什么。

“就是说你的另一半劳动力——我——也有奖金拿吧？”她转过头来，冲着森迪说，“对吧？”

森迪朝她眨了眨眼，表示“理解”地点了点头。

“同工同酬嘛！”艾莉对着我甜甜一笑，以赞赏的神态拍了拍我，接着补充说，“亲爱的，收入的另一半得归我啊……如果你不介意的话。”

还没等我回话，屋里的电话铃又响了起来。

“我去接，”艾莉对我说，“趁这工夫，你好好考虑一下我的建议啊！”

我看着她笑了笑，然后和森迪把一会儿干活要用的空箱子都装到拖拉机和拖斗上。

“是乔克·彭斯从爱丁堡打来的。”艾莉接完电话，回到院子里说，“他一会儿就上飞机回帕尔马。他说带了一些羊杂碎，挺沉的。让你下午去机场接他。”

“正好，”我走过来说，“反正下午也要去机场给法国人安迪送那批货，没问题的。”

“纠正一下。有一个问题。如果只有你们两个人摘橘子，你们是没法按时到机场的。乔克平时帮咱们那么多，可别让他失望啊！”

艾莉就是喜欢玩这样的“小把戏”。在我们搬来马略卡之前，艾莉并没有学过多少西班牙语，但是，所有用西班牙语填的支票，她都能审慎填写，精细无比。现在，我们全家所有的银行账单和经济支出也还是全部由她管理。其实，也只有她，才对我们每一天、每一个月、每一年的财政收支状况了如指掌。所以我能猜到，艾莉可能已经想着把今天这笔意外收入的一半存进自己的小金库了。她和森迪一样，这笔零花钱是他们应得的，我毫无异议。我也知道，艾莉更可能会把搜刮到的钱存起来，以备日后贴补家用。

“那我的奖金谁出啊？”既然她喜欢这种游戏，我也不妨陪她玩玩，“我觉得，咱们应该把这笔钱分成三份。”

“老板还要什么奖金！”艾莉反驳道，“至少在咱们这儿，你可别想拿走一分钱！”

其实，这个时候，我倒是真想和她理论理论在我们这个家里到底谁才是老板，但是我们还要赶紧干活，以后再说吧。这场小游戏只能到此为止了。尽管如此，本来我还是心存一线希望的，觉得我也有一半的机会。

“好吧，算你赢了！艾莉，”我叹了口气，“收入的另一半归你，趁现在还有时间，赶紧把那些该死的橘子摘下来吧。”

乔克一分钟都没耽搁，就赶去营救他那些被海关扣留的羊杂碎了。他现在仿佛正在执行任务。

还没走出机场，他就对我说："伙计，咱们直接去英国领事馆驻帕尔马办事处，就在市中心马约尔广场，别担心，那儿附近就有一个地下停车场。"

说来也巧，我对马约尔广场的停车场还真是记忆犹新。记得我们刚刚搬到岛上不久，有一次就是在这个停车场与一辆载满修女的汽车狭路相逢，当时，我想把车停在仅有的一个车位上，可由此付出的代价至今想起仍心有余悸：车胎莫名其妙地漏气，小腿擦伤，头无端被击伤，就是因为想抢在她们前面把车停进去。所以，今天我可是把停车场仔细看了个遍，确认真的没有搭载嬷嬷们的车辆后，才谨慎地把车停靠在一旁。

出了停车场，我们从列拉街急匆匆爬上石阶赶往马约尔广场。"乔克，"我跟在他身后问道，"希望我问的不是一个很蠢的问题，但我真的想知道，英国领事馆要怎么帮你把那些非法的羊杂碎弄入境啊？"

"这可是个挺复杂的事情。"乔克说道，"伙计，首先你得加入一些有用的社团或组织，然后，你要让你的这个关系网一直保持活跃。这可是岛上的生存之道啊！"走到广场上，他指着那些密密麻麻的露天咖啡馆中的一家说，"我先进去见一见女王陛下的臣民，你坐在这里等我，我一会儿就出来。对了，帮我要一杯啤酒。"

如同西班牙其他城市的主广场一样，帕尔马的马约尔广场也是一个石板铺就的四边形广场（实际上是矩形广场），四周环绕着别致的巴洛克风格带拱廊的建筑。尽管还是冬天，许多朝西和朝南的窗子已经拉下百叶窗，将阳光挡在窗外。其实，每扇百叶窗后面窄小的办公室里，日常工作照常进行，只是外墙的暖色粉饰被一个个板条框着的百叶窗衬托得有些慵懒。夏天的时候，我也来过这里几次，那时这里可是游客们的天堂，也是马略卡最繁华的地方。为了招揽来此闲游的旅人，广场上到处都是琳琅满目的货摊——皮带、手工珠宝、工艺绘画以及各种纪念品、小玩意比比皆是，甚至还有些街头艺术家与“活人塑像”大显身手，为这里平添了几分波希米亚风情。今天，这里显得有些冷清，广场就像在冬眠，只有一些闲散游人坐在露天咖啡厅自斟独饮，或驻足在拱廊的商店橱窗外瞥上几眼，偶尔也有步履匆匆、衣冠楚楚的商人夹着皮包走过。说实话，我倒是喜欢这样的气氛。

我在乔克说的那家小店门外坐下，向面容疲惫、立刻出现在我边上的服务生要了两杯啤酒等他。颇有些自相矛盾的是，也许正因为生意萧条惨淡，服务生才面带倦意，显得无精打采。西班牙的服务生一向都以训练有素而为世人称道。在夏季旅游高峰期，他们从早到晚忙忙碌碌，大热天一干就是一整天，我在想，或许到了晚上，如果双脚会说话，它们很可能会说：“帮帮忙，去找个办公室工作！”但转念一想，几个月的小费加起来，发疼的双脚再怎么叫唤，也会安静下来吧。

“今天没什么人啊？”我同情地对端着啤酒走过来的服务生说道。

他无奈地说：“是啊，先生，没什么人！”语气中充满了哀怜和感伤，说完，他叹了口气，转身又走回咖啡馆门口，倚站在那儿，好似在默默等待夏天蜂拥而至的游客到来。

这个服务生三十五六岁的样子，尽管周身的气派并不逊于那些奢华的五星级酒店里的服务生，但气质上还是有些“乡土味”。很难说清为什么我会这么认为：或许是因为他那夸张的步态；或许是看到他那端盘子的硕大手掌；或许仅仅只是因为他站在那儿出神地望着一群飞到屋檐筑巢的鸟儿的神情。正如我身边许多农夫的子孙一样，他们离开自家的小农庄，为了谋求更高的收入或者说是为了可以更轻松地生活，便成为这种靠游客吃饭的职业中的打工人。

由此我联想到两个儿子，他们的未来又会是怎样的呢？我不得不承认，现在即使对马略卡当地人来说，那种一辈子都在经营家庭农庄的生存方式也在渐渐衰落。我和艾莉都知道森迪并不情愿一直在我们这个“市长府邸”小农庄干下去，我也开始有一些担心小儿子查理的未来，尽管他仍然是一个性情温顺、单纯快乐的孩子，而且以前住在苏格兰的时候，也经常双脚踏在泥泞的地里，不管日晒雨淋，一直快乐地帮助我们打理农庄。可是，自从迁居到这个风景宜人的度假胜地马略卡，他似乎有了一些改变。尽管国际学校拓宽了他的眼界和阅历，但是，他新结交的朋友们的家庭以及他所羡慕的那些富商后代的奢华生活方式实在不能不让我们忧虑。无论查理的未来会怎样，无论我们农庄的经营发展前景如何，看样子要让他只靠橘园为生的可能性实在太小了。更何况橘园的发展和生意的壮大还是个未知数。

初来马略卡的时候，虽说我没有完全陷入一种隐秘的恐慌状态，但那的确是一段艰难的日子，甚至我都怀疑我们举家搬迁的决定是否正确。但表面上我没有表现出一丝忧愁和犹豫，艾莉和孩子们有没有被我骗到，我就不知道了。但值得赞扬的是，他们从未表现出怀疑。毕竟每一个家庭都需要一个主心骨，我敢肯定，在他们的心目中，我来扮演这个身肩重任的角色是最合适的。

然而，近来他们一直设法说服我要以一种轻松的心态对待未来，这样对每个人都有益。过去这一年我们只知道埋头工作，几乎没有时间去想其他事情。如今，果树已逐渐痊愈，果园的经营已基本走上正轨，我们手头也开始有了一些积蓄，所以，他们觉得接下来我们应该开始充分享受生活了。我们计划先把房子重新装修一下，然后添置一些必要的消遣和娱乐设施。按照艾莉的说法，这些设施创造出的价值可要远远超过它们的花销。我也不得不承认她说得很有道理。毕竟，从长远看，假如“市长府邸”不能提供给我们物质上的满足（事实上，我们已经发现这个农场确实有点小），那么我们就要挖掘这处房产在所有方面可能产生的价值，这样万一哪天我们真要筹集资金搞扩张——以某种方式，它的卖价也能更高些。

现在已经有两项这样的设施快要落成。一个是在我们院墙附近的小松林中搭建的烧烤区，另一个是我们充分利用一楼储藏室的空间改建的娱乐室。而动工的前提就是：尽可能自己动手，决不增加额外开销。对我们来说，节约不仅仅是一种美德，而且是我们必须遵守的行动准则。要知道，当你不得不用一个个小橘子的收入来计算自己的偿付能力，你会发现，在自己动手方面，你的点子是多么层出不穷！

接下来，我们计划进行的可不是一项简单工程，建一个游泳池无论如何都需要专业人士指导。这个计划源于去年夏天七八月份酷热的日子里，在橘园里忙活了一整天，精疲力竭地回到家，一身臭汗的我颇为感慨又有些抱怨地建议修个游泳池——现在我对自己当时的提议感到无比后悔。此后，艾莉就以此为把柄，一次次戳穿我的各种托词，一直在“督促”我实施这个计划。后来我实在找不出任何理由再拖延，于是，戈麦斯先生，一位专门修建游泳池的专家，带着基于我们口头商定了的估价的合同来到我们家里。

乔克的声音从我身后传来，我正焦虑地啃手指甲呢，是他救了我的指甲。

“搞定了！”他大步流星地嚷着走向我说，“安格斯·麦克斯波伦可以自由了！”他兴奋地耸耸肩，咧着嘴笑着对我说，“准确地说，一个小时后它就自由了！”边说边冲着我狡诈地眨了眨眼，流露出如同共济会成员般深厚的兄弟情谊。他接着说：“伙计，记着我说的，要建立一个有用的关系网，这样你在岛上就好办事了！”

真不知乔克究竟说了什么甜言蜜语让英国领事馆的官员这么轻易就“释放”了他的那些羊杂碎。众所周知，就算是度假的英国游客身上的钱都被偷光了，走投无路地向领事馆求救，他们都不会掏出半毛钱，更何况是对待这么一堆无用的羊杂！但是，此刻我已经没有兴趣过问这些了。就像乔克的妻子梅格曾经说过的，乔克的心眼比狩猎队伍中所有弓箭手的箭还多。我知道这一次解救羊杂碎只不过是为他一系列传奇事件又添了一笔。说起乔克来，你不得不佩服他旺盛的精力和办事能力。乔克是查理就读的国际学校的教师，晚上，他又在游客聚集的新帕尔马一家生意兴隆的度假酒店里做键盘手和歌手，同时，他擅长交际。凭着这样的优势，人们常说在马略卡就没有乔克办不成的事。

他连坐都没坐下，站在那儿拿起酒杯就一饮而尽。“哇！”他打了个嗝，揉着自己硕大的肚子说，“我还要点些‘弗兰克斯’填填肚子，今天这一天全靠在爱丁堡的那点早餐顶着呢，飞机上的饭太难吃了，简直像猪食，居然还不够吃！”

乔克人高马大，胃口也巨大无比。他平时喜欢说一些俚语和打油诗之类的顺口溜。他所谓的“弗兰克斯”，是“弗兰克·扎帕斯”的缩写，指的便是“塔帕斯”，这一传统小吃在西班牙很流行，人们往往在两餐之间吃上这样一碟用不同配料制成的风味小食充饥。乔克就是把这个“弗兰克斯”用作了加餐的代名词。

让他这么一说，我的肚子也有点饿了，“好吧，叫服务员过来，看看他们今天有什么好吃的塔帕斯！”

“这儿可不行——全是为游客预备的，太宰人啦！”乔克摆摆手，阻止我说，“跟我走吧，正好我还有点别的事要办，我们可以顺路吃点什么！”接着，他又冲我使了个眼色，“我知道有个好地方！”

我认识的乔克是一个直性子的人，一切喜怒全都写在脸上，看样子，他今天是没心情闲逛啦。他的步子有些急促，身体一蹦一跳的，就像一个舞者赤脚在火炭上舞蹈。我跟在他身后，像影子一样追随他的“舞步”顺着广场的石阶一溜小跑往下。

“就把车先停在停车场那儿吧。”走下广场的台阶后，他回头冲着我边说边向左转入人流如潮的人行道，“我们要去的地方你可别想再找到停车位了。”

我们来到了韦勒广场，这里是连接帕尔马两条最宽的林荫大道波恩大街和拉兰布拉大街的枢纽。这个地方我以前也开车路过几次，但是，由于早有耳闻这里位于帕尔马市中心，飙车引发的交通事故时有发生，因此，我每一次路过这里时都会格外小心，很少注意到街道两边的建筑。其实，这个街区有些建筑相当漂亮，古雅的格兰酒店就是其中之一。它的风格巧妙融合了哥特式奢华和古典西班牙式低调，现在已改建为一座艺术博物馆，那些日本游客来到此地总是会举起他们手中的照相机或摄像机拍个不停，然后肃穆地站在那里报之以敬仰的目光。在帕尔马，另一个著名的建筑尽管从美学角度来说不如格兰酒店那样耀眼，但是，鉴于它地标似的图片大量出现在这座城市的旅游指南中而最为人们所熟知，当然除了著名的帕尔马主教座堂以外。我说的是剧院旁边这家有着红、绿和金色装饰招牌的糕点店“剧院烤箱”面包店，店里出售一种叫作英莎伊玛达的螺纹面包，这是一种非常松软、表层撒着面粉一样精细白糖的传统巴利阿里岛糕点。只要是来过帕尔马的人都知道，它是馈赠亲友的最好礼物。你到帕尔马机场看一看，在夏季旅游旺季，几乎每个离开帕尔马的游人手中多多少少都提着一叠叠大小不一的圆盒子，盒子上还复刻了店面的三色图样。糕点店的旁边就是客满为患的中央酒吧，我以为乔克会在此加餐。但是，事实证明我错了。

“游客太多了，”他对我说，好像是猜透了我的心思，“快走吧！”他边说边加快了脚步，“时间就是金钱！我们得抓紧点。”

我瞥了一下表，四点整，这会儿，我本该回到果园摘橘子。此刻只让艾莉和森迪留在农场来完成明天赫罗尼莫先生的订单，我心里有些抱歉。但是，一想到艾莉早上接完乔克从爱丁堡打来的电话后对我说的话，我也就释然了——我们可不能让乔克失望啊！

老人们常说，每个人生存在世都会有一个守护天使。尽管乔克自己也会承认，要想永远立于不败之地，除非有一个超级天才的航空飞行技师为他设计一对可以腾云驾雾自由翱翔在云中的翅膀，否则，谁都会碰到困难的，但是自从我们决定迁居马略卡岛那天起，他总是尽一切可能给予我们一些中肯的建议和力所能及的帮助。乔克和我是苏格兰老乡，远离故土使我们的感情愈加深厚，也许正因如此，他总是格外关心我们。可以说他为我们所做的一切已远远超过了一般的同乡互助。比如说，当时如果要按照西班牙政府陈腐繁杂的审查手续，我们在迁居马略卡的第一步可能就搁浅了，要是没有他的帮助，我们连现在这个“市长府邸”的购买资格都无法获得。西班牙加入欧盟之前，政府一直极为严苛地控制外国人购买巴利阿里群岛的乡村土地。我们现在这个农庄的面积已经超过了政府规定的上限，所以，当时如果没有乔克从中周旋，钻了法律的空子，我们无论如何也不会拥有现在这片土地。此外，他还帮助查理顺利进入他执教的那所国际学校。总之，他对我们的帮助真是太大了！无论我们需要什么，甚至小到餐具等日常用品，他都会帮我们挑选到最物美价廉的一款。一想到这些，我现在花些时间来陪他，就是耽搁了摘橘子的时间也是值得的，这也是我现在所能提供的唯一回报了。

我俩一前一后沿着尤尼诺街走着，从波恩大街一端出来，面前是博施酒吧的露天桌椅，帕尔马中心招摇的咖啡馆里，最热门的就是这家了。

“这儿的游客太多了吧！”在胡安·卡洛斯一世广场旁的博施酒吧门前，我冲着走在前面的乔克说道。他只是点了点头继续往前走。看来，他早已经预料到坐在这里“悠闲看世界的人”不会少，这家店今天是赚不到乔克的钱了。我们走到路口栏杆旁等红灯。

我看了一眼身边的乔克，他昂首挺胸的样子显得有些自鸣得意，这大概是因为他刚刚又赢得了一场与“官僚主义”斗争的胜利。我了解乔克，他从不会放弃任何机会展示自己，特别是有人欣赏的时候，虽然我离他仅有两步远，但我清楚，这一次我又将成为他的观众。我以前见过太多次了，知道他的情绪变化很快，明白他情绪高涨会有什么结果，并且已经准备好尴尬了。

“要永远保持高雅礼貌的举止！”当交通信号的绿灯亮起

时，他面带笑容冲着迎面走来的一对老夫妇用法语大声说道。两位老人诧异地看着乔克，显然既不知道这句话是什么意思，也不知道他到底是谁。这种情况下，对陌生人来一句不合时宜、破碎的问候会让乔克异常兴奋，这是他从法语口语小册子上学到的一句话。这句话一出口，我也就放心了，至少这个时候有礼貌的表述要比更具攻击性的语言好得多——虽然这句也是有点无厘头。不过接下来，我想他还会有许多这样的“表演”。

此时我们已步入豪梅三世大街，街道两边都是带有拱廊的建筑，各式各样的橱窗琳琅满目，这里是帕尔马最繁华的商业街。我猜这回乔克可要大显身手了。

“这是我姑妈的紧身衣！”他微笑着不断对身边走过的一群由导游陪伴的长者重复这句法语。“这是什么气味啊？”每说一次，他都摘下假想的帽子表示一下敬意。

我好奇地观察那些老者的反应，有几位想复述听到的话作为回礼，虽然他们可能并不知道这些词是什么意思。看得出来那一句“永远要有礼貌！”的确是他们的座右铭，尽管淘气鬼乔克的不是。

此时，乔克的目标已经转向一群穿着迷你裙的年轻姑娘，他要大显身手了。她们正从城中最有名气的冰激凌店走出来，大快朵颐的她们显得十分快乐。

乔克的眼球已经被她们吸引了，他对这些漂亮姑娘表示了更诚挚的问候:“是在阿维尼翁桥上吧?”姑娘们看着他多情而害羞地低头窃笑，他回以更浪漫多情的一句:“你们长虱子了吗?”

“那个蠢货在说什么?”我听到其中一个姑娘操着浓重的伦敦东部地区口音问道，当然此刻乔克已经走远了，根本听不到姑娘说了什么。

“我怎么知道,”另一个姑娘耸耸肩膀说道,“都是西班牙方言，完全听不懂。你懂我意思吧?”

乔克已经不止一次用骗人的法语向别人表示问候却没有遭到谴责，更别说被戳眼睛了。也不知是他运气好，还是有非凡的本领仅靠外表就能看出国籍，不管他这古怪（且冒险）的行为基于什么，乔克显然很兴奋。他站在远处等着我，还是一副得意的样子，笑得嘴角咧成了月牙、脸颊绯红、两只眼睛放射着快乐的光芒，两个肩膀也随着节奏有规律地舞动。学校老师变成了学童，我希望这只是暂时的。

他带着我拐入一条很不起眼的小拱廊商业街，尽管这条小路就是主商业街的一条小岔道，但如果你没有经验，稍不留意就会错过。这是典型的乔克喜欢的地方，只有帕尔马当地人知道的饮酒去处。

“这儿的‘弗兰克·扎帕斯’可是一级棒啊!”乔克说的这句话，结合了押韵俚语和苏格兰口语。

我们一起走进坎米格利塔酒吧。酒吧过道实在有些寒酸，要是我自己，肯定就不会进来了。可是如果你在西班牙想吃得好，这绝对是一个秘诀：一些非常出名的小酒吧和饭店，进门几乎都是这样的格局。吃得好才是最重要的，假如老板把心思花在了装修上，毫无疑问，价格一定会昂贵几倍。坎米格利塔酒吧也不例外。

“我说伙计，这里的肉丸子绝对好吃。”乔克把叉子叉进一份分量十足的肉丸子里，热情十足，那只空着的手在空中划过一道戏剧性的弧线，加了一句：“啊，还看不到一个该死的游客！”

事实上，乔克也并不是不喜欢游客，毕竟游客是他主要的经济收入来源。作为一个键盘手，他需要和游客建立友好关系。其实，他还是比较喜欢交际的，非常享受和游客交流，多年来，他和许多住过他服务的那家酒店的游客建立了长久的友情。但他有时也想从这一切中抽离。他喜欢用当地语言与当地人交流——不仅是西班牙本土“标准”的卡斯蒂利亚语，还有夹杂着加泰罗尼亚语的马略卡方言。方言曾一度被佛朗哥政府抵制，不过，作为岛上的传统，现在马略卡方言已被当地政府极力推广。乔克会抓住一切机会来练习他所掌握的这两种语言，按常理，他应该不会放弃小酒吧里进餐的机会来展示自己。但是，今天他还有更重要的事情要办，因此，等他狼吞虎咽地吃完“弗兰克·扎帕斯”，我们就迅速地离开了这家小店。

“我们现在需要尽快去《马略卡每日公报》登个声明。”说这话时，他已经迈着大步走到了门外。

“每日公报”是由岛上一帮说英语的移民创办的，不仅仅是一份新闻类的报纸，同时还报道一些无伤大雅的关于马略卡居民风俗习惯、饮食烹饪等的随笔和杂谈。报纸每天会刊登一些诸如买卖租售房屋等相关信息，让人读来倍感温馨和亲切，并附有广告版，刊登各种不同类型的广告。无论你是需要找个人给你的小狗修剪指甲，还是个百万富翁要为自己的大宅子找买主，或者是个表演吞剑的艺术家要找工作……这张报纸包罗万象，无所不有，你一定能找到你需要的东西。

乔克显然完美地计划过行程。“每日公报”办公室就在坎米格利塔酒吧拐角处的马略卡大道上，这条林荫大路沿着蜿蜒的拉列拉河而建，每年雨季来临，河才会出现，次数并不多。我们来到广告部的窗口前，看着眼前美丽的姑娘，乔克巧舌如簧、能言善辩的“嘴脸”暴露无遗。我站在一旁，欣赏着他把苏格兰方言换成松弛的美式腔调。这可能已经成为他的一种习惯，他会本能地区分他的交流对象，如果他觉得对方会更喜欢成熟感而不是街头风，他就会这样。虽然我觉得两者差别不大，但我肯定乔克并不这么看。

他把胳膊拄在窗前的柜台上对那姑娘说：“嗨，甜心，你真漂亮！”说着，他向我挤了挤眼，“我说，佩德罗，你见过这么像詹妮弗·洛佩兹的漂亮姑娘吗？”

我有点措手不及，犹豫地摇摇头说，“噢……嗯，没有！”

姑娘听了这话，并没有受到什么影响，仍旧面无表情，对乔克说：“先生，我能帮您做点什么？”

“是这样的，甜心，”乔克此时压低嗓音，学着乔治·克鲁尼的男中音腔调说道，“我来这里是为了给两周后的豪华演出登广告，你看能不能给我一个优惠价格？如果你能帮忙……”他诡秘地冲着姑娘眨了眨眼。

“您的广告是需要一整个版面还是只要半个版面？您的广告是需要每天刊登，还是两天登一次，或是一周登一次？是全彩印吗？”

乔克局促不安地在地上来回蹭着脚说：“嗯……不是这个意思，亲爱的！”他把身体靠近那姑娘，回头偷偷摸摸地环顾四周，用嘴角嘟囔着说：“我的意思是登个三行的私人广告。下周一次，再下周一次。”

“那么，”姑娘面无表情地说，“我们现在讨论的是个微型豪华演出，是吗，先生？”

我躲在一边暗自发笑，这一次乔克可是遇上对手了！

“我可以送你一张免费入场券，怎么样，姑娘？”说着，他又厚着脸皮把身子向前凑了凑，动作里有了一点迫切的味道，“如果广告的价格合适……”

姑娘不耐烦地拿出一张表格，放在桌子上推给乔克，“小广告的价格印在这上面，按字计费，先生，没有折扣，除非是长稿。假如您还想刊登您的广告，请在空格处用印刷体写上您需要刊登的内容，然后交给我。”说完，她迅速移到另一位客人那边，剩下乔克一个人在那儿嘀嘀咕咕。

“我还可以送你双人份的羊杂碎呢！姑娘，你可别不管了啊。”他还在那里不厌其烦地用近乎祈求的语气争取和姑娘讨到一个更好的广告价格。可是，在我看来，他这两个小广告的花销还不如他空运来的那些羊杂碎呢。但乔克可是苏格兰人，不争取到打折誓不罢休，就算最后会赔钱也在所不惜。

乔克的努力没有得到任何回应。他无奈地沉默了一会儿，只好把填好的广告单交给那姑娘，最终还是用现金支付了广告费。然后，他转过身向门口走去，就在推开门向外走的瞬间，他用近乎咆哮的声音喊道：“对了，小姐，我说的像洛佩兹，只是在说你的大屁股！”

骑士精神的年代又倒退了一步，乔克出门后便迈开大步消失在了人流中。

乔克创办的一年一度“彭斯之夜”已经成为我们这些移居海外的移民和马略卡本土居民的盛宴，尽管这个聚会非常俭朴，但还是为乔克赢得了极好的声誉。多年来，聚会的主题一直围绕着纪念苏格兰著名吟游诗人罗伯特·彭斯（昵称为“拉比”）进行。严肃的主题也无法压过无忧无虑、逍遥自在的气氛，我觉得喜爱嬉闹、漫游的“拉比”也会认可的。

这个聚会最开始只是十来个移民举办的小型聚会，大家都是狂热的彭斯迷，因此，他们聚集在乔克工作的那所国际学校的礼堂举办这样一个小派对。之后，乔克逐渐把居住在马略卡的彭斯迷集合在一起，聚会越办越大，慢慢形成了现在的规模。今年，他决定举办一个更大的聚会，也就是在《马略卡每日公报》广告部他向那位姑娘夸下海口时提到的豪华演出。如果乔克有些小夸张，也是可以原谅的。所以，无论如何他也要花些精力把这个活动组织得像模像样。无论是否奢华，今年的聚会肯定是最具冒险性的，而且也会让乔克花销不菲。

哪怕休几天假飞回苏格兰——表面上是去看望年迈的父母，我想实则也是为了亲自挑选并带回一些羊杂碎装点“彭斯之夜”的餐桌——也会让乔克的钱包狠狠颤抖。更让他手头拮据的是，他还首次带了一支五人苏格兰舞蹈团、一位风笛吹奏者、一位知名的苏格兰歌手和两名高地舞舞者回来。想从《马略卡每日公报》那位姑娘身上省下一丁点儿钱，只是乔克节流的众多计谋之一罢了，这点我敢肯定。

在我们一起开车返回机场的路上，乔克向我解释起有关这次被海关扣留的羊杂碎的烦恼。他说从第一次“彭斯之夜”开始，聚会晚宴上就离不开这些美味的羊杂碎、土豆泥和苏格兰芜菁了，但遗憾的是，以前那些羊杂碎都是乔克的亲朋好友每年来岛上旅游时带给乔克的罐头食品。乔克强调说，倒不是说这些罐头不好。恰恰相反，罐头羊杂碎从品质上来说是一流的。而且，毋庸置疑的是，这东西如果盛在盘子里，就连羊杂碎专家都不会知道这是从罐头里还是羊肚皮里出来的。

乔克只不过是想让“彭斯之夜”更有仪式感罢了。每次聚会大家都在等待这一刻的到来，当这些装在羊肚皮里的羊杂碎出场时，人们会自动列队，等待这“食品国”的“酋长”入席。乔克努力了这么多年，今年终于可以举办一场名副其实的盛大宴会了，所以，那位找碴的海关官员说要把乔克宝贵的羊杂碎“销毁或是驱逐出境”时，实在是触碰到了他最敏感的神经——还会让乔克损失惨重！

不仅如此，我们进入机场海关区时，乔克向我指出，没有混蛋阻止罐装羊杂碎进入西班牙，那为什么要拒绝真正的羊杂碎呢？

以我个人的观点来看，海关官员的这种官僚作风不无道理——一种是密封食品，另一种不是。从另一方面看，或许以前帮乔克携带羊杂碎的那些朋友是幸运的，因为他们入境时并没有碰到过开箱检查。不管怎样，我是不会因此就在西班牙海关面前冒险的。幸好此时乔克和我的想法一样——尽管显然他已下定决心要为这件本不必要发生的麻烦事做个了断。

“我的杂碎呢，请问？”当我们来到机场海关检疫处时，乔克用标准的西班牙语对那位扣留羊杂碎的海关检疫员说，脸上掠过一丝很牵强的笑意，“我想您应该收到那张官方证明了吧！先生。”

“嗯，是的，收到了，彭斯先生。”那位检疫员面带微笑，用纯正的英语对乔克说。此刻的气氛比较平和，我也趁机仔细观察了一下这小子，他心情平静的时候，身上还真有点《贝隆夫人》和《蒙面侠佐罗》中西班牙影星安东尼奥·班德拉斯的影子，典型的西班牙美男子——黝黑的皮肤，眉清目秀，骨子里却透着斗牛士的傲气。他张开的嘴唇露出的雪白牙齿与黝黑的胡须形成鲜明对比，衬托出他蜜色肌肤的自然光泽，说话的样子看起来十分动人。

“真他妈的像颗甘草糖。”乔克一只手捂着嘴巴对我嘟囔了一句。

“请稍等一会儿，彭斯先生。”那位检疫员根本就没听到乔克刻薄的话。他从桌子的抽屉里取出一沓表格，从中抽出相关表格递给乔克。“先生，您再仔细看一下这上面的条例，所有关于移民入境的法律都写在上面，其实您的那位小朋友并不需要护照。”他语气严肃——或者说他让乔克这么认为了。而此刻，我和他的距离很近，我又在他的脸上看到了早先他扣留乔克的羊杂碎时流露出的那丝得意的笑容。他接着说：“现在，我将安排从‘牢房’里释放您的‘麦克斯波伦先生'！"

乔克站在那里怒视着他，无言以对。

接着，那位检疫员用海关内部的对讲机与其他工作人员说了几句。过了一会儿，乔克真的与他那些可爱的宝贝重逢了。

乔克依旧一声不吭。

"我必须要向您的这些东西说声抱歉，先生，我刚看到这些香肠的时候确实是把它们当成了猪呢！"他边说边让乔克在那个表格上签字。

"那可不是什么香肠。"乔克一边在那个单子上潦草地签字，一边不满地嘟囔着。我能感觉到，乔克在拼命克制自己。

"可是在我看来，那就是香肠。"那位检疫员漫不经心地说，却并无恶意，"而且，我从证明中也看到羊杂碎这种东西的确是羊身上一些不受待见的玩意儿。"他强调道，脸上带着诚恳的笑意说，"awful（糟糕的）！我想英语中是这么说吧？"

"offal（下水）！"乔克大声地说，"是offal！不是awful！"乔克快要爆炸了。

那位检疫员茫然地看看乔克，把头歪向一侧，皱了皱眉。

"offal！"乔克又重复了一遍，"O-F-F-A-L，好吗？"

他还是莫名地看着乔克，仍是不知所以然，又把头歪向了另一侧。

“offal！”乔克用眼睛专横地瞪着他，学校老师的气质暴露无遗，语气中带着一丝傲慢说，“offal是一种可以食用的动物内脏，不是什么糟糕的awful！具体地说就是羊身上的内脏——羊杂碎。知道了吗？”

“噢，内脏啊？”那位检疫员皱起眉头，“内脏？那……到底什么是内脏呢？”这一次，他的头两面晃得像个拨浪鼓，看样子，他是真的在讨教了。

乔克看了看检疫员那一脸的茫然，试着深呼吸控制住自己的火气，然后费劲地向他解释：其实羊杂碎是一种添加了燕麦和板油以及香料之类的混合物，基本原料当然是剁碎后的羊下水，即心、肝、肺之类，也就是offal，这些统统被装进“袋子”、其实就是羊肚子里。

检疫员用手捏着自己的鼻子，望着乔克：“那……你吃这个？”

乔克并没有直接回答他，而是眯起眼睛瞟着他，等着他的下一句话，此时的乔克似乎已经猜到他还有致命一击。

“呃，就是说，先生……”那位检疫员的语气中显然带着一丝嘲笑，“这听起来的确有些糟糕！我的意思是A-W-F-U-L！”

乔克此刻表现得异常愤怒——胆敢有人取笑他的美味，实际上，要不是我一把拉住了他，乔克就会冲着那位检疫员扑过去了。其实，类似这种羊杂碎的香肠类食物，马略卡人也常常吃，他们那种所谓的“羊灌肠”，只是在原料上有些许差别，除了心、肝、肺之类的羊下水，马略卡的“羊灌肠”相比于苏格兰的“羊杂碎”，只是在此基础上用混合了马铃薯、洋葱、胡椒粉的原料代替了燕麦。说不定这玩意儿也是这位检疫员的盘中美餐呢！

“可别再塞回羊的胃里去啦。”我拽着乔克出门时，那位检疫员补充挖苦了最后一句。他现在可以自由大笑了，对我们喊道：“再见！先生，祝你们节日愉快！苏格兰聚会快乐！你的小动物也快乐！”

乔克转回头去，冲着他挥了挥中指，检疫员欢快地回应：“愿上帝保佑羊杂女皇！”

2

钱可不是那么容易挣的

那晚当我陪着乔克办完事最终返回“市长府邸”时，艾莉和两个孩子都坐在厨房等我。

艾莉坐在那儿用指甲锉修着指甲，我知道，这已经是她的一个习惯了，每天在橘园里干完活，她都要把自己的手弄得干干净净。听到我的脚步声，她抬头看看我说：“我们已经把赫罗尼莫先生订单上明天需要的橘子摘完了。”

“是啊，我进门的时候已经在走廊的过道看见了，你们两个辛苦啦，万分感谢！”

“应该是我们三个！”查理在一旁插话道，“我放学回家后就帮着一起干活啦。”

听他这么一说，我突然觉得屁股口袋里法国人安迪付的货款也跟着我一起紧张起来了。

“呃……那就是说我也可以得到一份工钱啦？”查理的眼睛里充满了期盼。

我摸了摸屁股口袋说：“不要用这种大西洋地区的虚伪腔调和我说话，查理。”我打了个哈欠，“今天我已经听得太多了，乔克总是用这种语气说话。”

“这可不能怪查理！”艾莉接过话茬说，“他们学校所有孩子都这么说话，这个你是知道的，所以，别转移话题了。”

“老爸，你是不是从法国人安迪那儿拿到货款啦？”森迪试探着问我。

我得意地看了看森迪，然后从屁股口袋里拿出一沓钱，“是啊，别担心！都在这儿呢。”

查理兴奋地一个劲地搓着手。

他的这个动作马上就被他哥哥发现了。“你就别跟着掺和了，查理，我们已经说好了，这些钱一半归我，一半归老妈。”

“你也别太贪了，”查理马上回应道，“我知道我没出多少力，我只拿我应得的那份。”说完，他转过头来看着我，希望得到我的支持。

“听着，小伙子，”还没等我开口说话，森迪就插话道，“过道上那二十多筐橘子，你摘了多少？想象力再丰富，加在一起也不到一筐吧！”

“胡说！如果说我没摘那么多橘子，那是因为在我放学回家前你就已经开始干活了。我还是应该拿我应得的那份！”

“别和我说这些，查理，想想看，我们周末在橘园干活的时候你都干什么去啦？你和你那群富豪朋友驾着快艇开心的时候，想到过我们在橘园的辛苦吗？别惦记这份钱啦！滚蛋吧，查理。老爸已经说过了，法国人安迪这笔货款的一半都归我。”

兄弟两人像这样小小的争执发生得越发频繁了。我知道，这是仅存于同胞兄弟之间的宿怨，亲兄弟毕竟还是一家人。我明白森迪的意思，他现在这样卖力地帮助家里干活，只不过能得到那么一点点收入。而查理毕竟还是一个学生，不管他是否帮家里做事，他的一切还都依赖父母。可就算他帮了忙，也没什么大不了的，因为像我们这样靠自己的双手劳动而生存的家庭，家人相互间的帮助是不可或缺的。尽管森迪像查理这个年纪的时候，也被指望要帮家里做事，可那时的他帮家里的时间是否真的比现在的查理多，还有待商榷。不过，两人社交环境上的差异，是会扭曲真相的，无论真相是什么。十三岁的森迪周末与同伴踢足球的时间，真的比现在查理和富家子弟校友“享乐”的时间少吗？可能并没有。可查理现在的生活确实比森迪之前优越得多，这一点，再加上两人的年龄差，也许才是兄弟二人争吵的真正原因。虽然我和艾莉都不想小题大做，但我们确实也越来越重视这件事了。

“我们本来是考虑给你一些报酬的，查理，”艾莉说，总是这样适时地火上浇油，“你今天的确帮了点忙。”

“老妈，你总是这样！”森迪有些不满，“查理什么都没做，还要给他钱，他已经买了牛仔裤、T 恤、时髦运动鞋了。是啊，都是名牌，这样他就能和那些有钱朋友一起出风头了。现在兜里还要有额外的零用钱，就因为摘了一小筐橘子。总是这样！”

我承认森迪说的有一些是事实，查理上学的那间国际学校里，孩子们确实很追求时尚，但我们从没有因此屈服于查理所面对的同辈压力。恰恰相反——艾莉虽然常以女性审美关注购物，尤其是衣服，但她也很在意价格。所以，自从来到马略卡，查理是买了些名牌，但都在艾莉的预算之内。因此，查理休闲时髦的衣服，也并不比森迪像查理这么大时穿的普通校服贵。

即便如此，我也充分理解森迪的感受。我知道森迪现在这个年纪之所以越来越在乎钱——他自己的钱——是因为他越来越渴望独立了。可与此同时，查理想要和那些富家子弟同学一样享受物质生活——在那些孩子眼里理所应当的物质生活——也是很正常的。此时，新生活现实里的经济困难，似乎威胁到了我们的家庭和谐。我现在明白了，想要我们的马略卡冒险大获成功，还不只是种橘子树赚钱那么简单。

我突然有些后悔为什么当时没给自己留点后路，但是，现在我已无法改变主意。所以，只好如数把钱按两份平分给等在那儿的艾莉和森迪。

“就照妈妈的意思吧。”我提醒查理，他兴致勃勃伸出的小手在分完钱之后还是空空如也，“如果下次有机会，我们也许会付给你报酬的。”我马上又补充道，“从现在开始你要和我们一样分担家务，但是，你要记住了，我们可不是计件付工资，所以，不要把报酬的事记在心上。”

表面上看，我们这样对待查理这么大的孩子有些太过严格，但我和他说这些，只是想培养他客观地面对现实。我们的家庭不能和他那些家财万贯的同学相比，因此，我们希望查理能够像普通人一样正常地成长。平日里，我们并没有刻意安排他做家务和去果园劳动，更没有过多占用他的学习时间，假如他总是期待我们每一次都以报酬来换取他的帮工，那对他这样还处于成长期的孩子来说无疑是没有任何好处的，一出现苗头就要及早遏制。

我盯着他，等着看他的反应。

他耸了耸肩膀说：“好吧，我没事的，老爸。”说着，他把两只空空的手插进 CK 牛仔裤屁股口袋里，笑了笑，“啊哈，没关系。我知道‘钱可不是那么好挣的啊’！对吧？”

他竟然如此懂事，我忍不住露出一丝欣慰的笑。“在这座农庄是这样的。总之不能浪费。”

“省一分钱就是赚一分钱，对吧？”查理又一次引用了我的哲言。

我笑了笑，满意地点点头对他说：“尤其对我们而言，要开启一项新生意，过上一种新生活，没有什么比这更重要了。”

查理迈着正步学我平时的样子来回踱着，“我都能理解，是吧！老爸。”他冲着我伸出他的拇指表示赞同，然后用一副满不在乎的语气补充道，“嘿，老爸，不用紧张，错失了法国人安迪这点钱，对我来说根本不是什么问题。”

森迪刚刚一直在装着数钱，我想也因为良心发现，一直在想着要不要抽一两张给弟弟。这时，他突然怒目圆睁，吼道：“你这个小混蛋！你还能再狡猾一点吗？我敢说，你的表演都能拿到奥斯卡了！”

说着，伴随查理一声得意的假笑，森迪把手中的那沓钞票原封不动地塞进口袋里。

我注意到艾莉这时已经把她的那份“酬金”收好了。她用期待的目光冲我笑着说：“今天是周五，我们大家这一周都很辛苦，你不觉得晚上应该犒劳一下大家吗？还记得吧，你说过我们要以健康的态度对待生活的，我们迁居此地的目的就是要放松自己，尽情享受生活。”

我明白此时艾莉是在试探我，她在用这种方式吊我的胃口。她是想到外面吃饭了。我知道这是她的一个嗜好，和购物一样，也是她的消遣方式。当然，孩子们也都看出了她的小心思。

查理伸出食指在他妈妈的面前晃了晃，学着老师模式下的乔克·彭斯的神态对艾莉说："呃，但是，你忘了，老妈，老爸现在身无分文！他可是把法国人安迪的货款都分给你们了。"说着，他用眼睛瞟了一眼他哥哥。森迪装作没听见他在说什么，一个人在那儿抿着嘴，漠然望着天花板。

"你知道吗，"艾莉笑着对查理说，"你老爸这个星期向赫罗尼莫先生兜售的橘子比过去我们两周送的货都多。"说着，她轻轻拍了我一下，"怎么样！小气鬼，你的雇工们为你出了那么多劳力，该犒劳一次了吧！"

其实，我刚回来的时候就注意到厨房的餐桌上干干净净。平日里这个时间，艾莉早已经准备好晚餐了。所以，很明显，艾莉今天什么都没有准备。我当然清楚这周她在橘园没少干活，因此，就算有一两顿没准备晚餐，也没有人会对她有所抱怨。另外，我想两个孩子刚刚的斗嘴也促使她下决心让全家人一起到外面聚餐，我知道这是一种很好的家庭缓和剂。饭桌旁好讲话，尽管艾莉希望不是我们自家的餐桌！

"好吧。"我做出一副服从命令的样子说，"如果我们真的会破产，倒不如一路享受着过。我们今天就一起下馆子！"

"萨玛喜亚"在马略卡当地语言中是"农庄"之意，我们要去的这家萨玛喜亚饭庄就是或者说曾是一座农庄，只是如今它的屋檐下是大家和气融融、叽叽喳喳的交谈声，而不是几个世纪前在松树遮挡的农田上放牧的牛羊叫声。这是一个典型的马略卡乡村庄园，主屋的正面遮住了里面的庭院，呈矩形的庭院由更多小石屋组成。这里在过去不仅用来养动物，也是给饲养牲畜与家禽、耕田和收庄稼的用人家庭住的。

这家“萨玛喜亚”就坐落在安德拉奇至帕尔马这条主干道后上方，靠近平静的（正如其名的）“宁静海岸”小城，位于安德拉奇和这座城市之间的三分之一位置。尽管我每天接送查理单程十七英里往返于靠近首府西郊的圣阿古斯蒂国际学校和家之间都要途经这条公路，但是，我们只来过这里一次。那还是去年夏天，两位从苏格兰来马略卡度假两周的朋友为答谢我们的款待而邀请我们在此用餐。由于那一次是他们请客，所以我们点单时也没太在意菜单上的价格。但是，店内的环境让人感觉这里应该是属于马略卡偏贵的一类餐厅。后来食物的品质也加深了这个猜测。

和马略卡众多庄园——尤其是防御设施非常庞大的那些，一方面要抵抗冬季特拉蒙塔纳山风的侵袭，另一方面在过去还要警戒和抵御土匪与盗贼的袭击——不同，萨玛喜亚饭庄相较而言就小巧别致了些。这里只有一层楼，显得朴实无华，可是建筑风格会让你来到这里立刻就感受到自己身处西班牙。

为了表达对农场过去农耕生活的敬意，饭庄门前摆放着一辆木制手推车。只不过里面装的不是一束束燕麦和一袋袋杏仁，而是一盆盆天竺葵，鲜红色的花朵在木轮子和两根空空的车把上盛放，换作以前，也许就有一头犯困的驴子在这对车把中间偷闲呢。在主建筑的一旁，主人还特意为来此用餐的游客孩子们修建了一处游玩场所。但是，这里是过去农场主用来圈猪的地方，也许夸大其词的家长会表示，至少这里没有太大的变化！

通常，来此进餐的客人都会经过一个拱廊才能进入萨玛喜亚内的庭院，去年夏天我们与朋友就坐在这里。夏日夜晚温和宜人的气候与主人精心布置的露天就餐环境使这里的一切都显得那么雅致、那么奢侈。庭院内以鹅卵石铺就的小径两旁是一排排吊挂着的烛台，在柔和的烛火映照下，飞溅的烛光辉映着四周的建筑物。和缓的微风吹拂着攀缘在围墙上的九重葛沙沙作响，房檐和紧闭的百叶窗被紫色、桃红色的花朵覆盖着，遮住了沧桑。晚霞渐渐落下，天空中闪烁的星星一颗一颗出现了，喷泉叮咚的流水声混合着西班牙吉他的委婉旋律弥漫在整个庭院之中。和其他庄园一样，这一家也是围绕着这眼“生命之泉”而建的。

当然，这样的场景和氛围都是精心安排布置的结果，就是为了让每个来此就餐的游客心旷神怡、陶醉其中，与当年住在这里的农户的简朴风格并没有什么关系。侍者的服饰明显带有一种“戏装”的痕迹。他们穿着宽松肥大的传统马略卡民族服装，条纹灯笼裤的腰间缠绕着宽宽的饰带，齐膝的白色袜子把小腿绷得紧紧的，粗布的白色衬衣外面套着紫红色背心。其实，这身装束根本就不是当地农民的打扮。但是，作为一名侍者，他们为自己的这身服饰感到骄傲。四周的松林里，蟋蟀唧唧地唱着夜曲，只有最不浪漫的人才会对萨玛喜亚夏夜的魔法不为所动——无论这诱惑经过了多么精巧的设计。

但现在是马略卡的冬天，而且随着日落，一阵凉意降临小岛，“平静的一月”里反常的温暖之后，气温下降就更明显了。我们来到萨玛喜亚的门前时，发现院子里鸦雀无声，往日的欢笑嬉闹已无踪影，一盏暗黄的挂灯悬吊在拱廊内。月光洒在院子里，只有微风吹过松林间沙沙作响的声音，一切都显得那么稀落、寂静。拱廊里一扇玻璃门里透出一丝欢迎的光线。

艾莉走在前面进到院子里，“看样子他们还营业，”她咂着嘴说，“哟！刚才吓了我一跳，还以为他们今天休息呢！”

“别担心，如果这里不营业，我就带你们去新帕尔马的英式炸鱼薯条店吃鱼。”我暗示艾莉，不管怎样，今晚我已经做好充分准备，一定请他们在外面吃上一顿，特别是要省去艾莉下厨的辛苦。

“小气鬼，我们可不愿意吃那些快餐纸袋子里的鳕鱼薯条。”她责备我道。

这个时候我可不想和她争吵。望着两个孩子窃笑的神情，我在心里琢磨，我又得少数服从多数了！我们跟随艾莉进到院子内，便闻到了扑鼻而来的西班牙乡村特有的烹饪气味。这是一种难以言表的香气，用任何语言形容都不是那么贴切，你只有身临其境才能体会到它的魅力和刺激。那种强烈的木材燃烧的气味混合着热橄榄油以及烤肉和烤海鲜的香气，只要闻到它，每个人都会味蕾大开。

“晚上好！女士、先生们。”穿着盛装的侍者礼貌地用德语向我们问候。他刚刚听到我们的对话，显然把苏格兰东部口音当成德语了。这种事不算罕见，在岛上居住和旅游的德国人很多。

此刻，我觉得没有必要声明我们是英国人。为何不趁机把学到的西班牙语派上用场呢！我自认为经过这一年在西班牙的农耕生活，我所掌握的一些日常用语绝对绰绰有余。

“晚上好！先生。”我微笑着用纯正的西班牙语回应他，“请为我们准备一张四个人的桌子。”

“呃……”他招手示意我们跟他走，笑着问，“英国人？”

我一下子泄了气，但不想在此为国籍和语言的问题与他纠缠。我知道，一般在英国以外的国家，人们普遍认为“不列颠”是一个统一的国家，不会刻意区分英格兰或是苏格兰。而且，此时我也没有耐心给这些穿着蓬松“戏服”的侍者讲解大不列颠联合王国的历史。比这有意思的事正等着我们呢。

“请！”他说着把我们引到一张壁炉附近的餐桌，“坐在这儿吧，先生，今天外边有点冷，是不是？”也许是出于对我勇于说听起来像西班牙语的西班牙语的敬意（或者只是为了取笑我），他拿来印有多国语言的菜谱，直接为我翻到了西班牙语那一页。

“老爸，这是什么？”那位侍者一离开，查理就迫不及待地指着一道菜名问道。“我可不想再上当了，”他说道，“会不会是单词又拼错了啊？希望这次不是，上一次吃的那个炖鼠可真晦气！”查理回忆起上一次在马略卡岛北部的萨波夫拉就餐的那段经历时，仍耿耿于怀。现在想想，那次点菜的时候，我是有意捉弄了他一下。菜谱上有一道菜是用生活在附近阿尔布费拉咸水湖和盐碱滩一带的大型啮齿类动物做成的，我骗他们那是鸡肉的一种。

“你是唯一一个在学校正规学习西班牙语的人，所以，应该是你告诉我这是什么意思啊！”我适时地开导教育他，“你的学费可是非常昂贵的啊！”说着，我把头转向炉火的方向，查理正好背对着。“该加些木头了。”我随意地说了一句。

当他转身寻找橄榄木时，我迅速把菜谱翻到了印有“米字旗”的那一页。

“你应该加强词汇量了，查理，”我接着对他说，“这一次我可以告诉你，知道吗，这其实就是一种炖嫩牛肉，是用剁碎了的小牛肉末混合松子仁一起炖煮的菜肴。你仔细看，这个词就是松子仁的意思，当地方言。”

查理扭过头来看着我，得意地笑着说：“哈哈，我已经知道了，老爸，刚才在英文菜谱上看到了，我只是想考考你！”

我清了清嗓子，低声嘟囔了一句："别耍小聪明，孩子！”然后低下头仔细研究菜单上的价格。

艾莉和森迪此时正躲在一旁窃笑，面前竖起的菜单在英语和西班牙语之间快速翻页。说实话，因为平时在一些便宜的酒吧或是小酒馆连锁店点餐时经常会碰到菜谱上的一些常用菜名，所以，我对西班牙餐馆的基本菜肴还是有所了解的。但是，这儿的情况却完全不一样，因为像这样的餐馆里都会有一些自己的特色菜，虽然一些主菜的配料和原料都差不多，可他们不会照搬老套。另外，加上他们习惯于混用一些当地方言，因此，凭借我的那一点点微不足道的西班牙语绝对是不够用的。反正此时的我，语言上的底裤已经被扒掉了，索性跟艾莉和孩子们一样，英语和西语对照着看吧。

侍者端着一个托盘为我们送来了餐前橄榄、一碟拌着温和绿胡椒的腌制胡萝卜条、一小篮硬皮面包以及特制的蒜味蛋黄酱。

在西班牙有一种传统习俗，就是喝酒时一定要配食一些比如橄榄之类的小吃。一直以来我都弄不懂这是为什么，难道不吃东西就不能喝酒？喝酒时不吃东西又何妨呢？我向那位侍者要了一加拉，也就是约两加仑[1]饭庄自酿的红葡萄酒，

1　1 加仑约合 4.546 升。

不一会儿，他就递给我一个带手柄的陶制瓦壶。壶中那传统乡村口味的醇厚红葡萄酒颜色有些近似公牛血，我知道它的口感一定很特别，而且喝起来一定相当刺激。于是，我学着西班牙人的样子，粗俗地倒上酒，然后加进气泡水，肆意地让它飞溅出酒杯，本来我是想借此降低一下酒精浓度，可是，酒一下肚，一股灼热感立刻扩散到全身，芳醇的酒香使我醉意浓浓。我心满意足坐在那儿环顾四周。

这里保留着完好的原始乡村庄园风格，到处都充溢着质朴的乡土气息和怀旧情调。老式大壁炉在冬季足以使每一间屋子都暖意融融。它就如同一个家庭内部的庇护所，特别是在早些年间，没有空调和其他取暖设备的时候，一家人围坐在壁炉旁其乐融融。这是现代人很难体会到的一种雅趣。

壁炉上纯白色的烟囱壁表面被木炭烟日积月累地熏得已经变了颜色，壁炉四周随处吊挂着带柄陶土瓦罐以及铜盘之类的厨具器皿。过去，这些悬挂着的器皿是为了方便主人的日常所需，而现在，这些东西已经作为一种时尚装饰普遍被西班牙的饭店和酒馆采用。另外，也许是主人刻意为之，墙壁上还挂着许多彩绘的瓷盘装饰，浓浓的家庭气息弥漫在整个房子里。

看样子，这间屋子是这个饭庄的主厅，像是把一些小房间打通建成的，足足能容纳五十人同时用餐。每个来此就餐的人都会津津乐道大厨阿马德乌的厨艺。

侍者告诉我们今天的主厨推荐菜肴是鲷鱼，他说这种包裹着盐块精心烘烤过的鱼非常好吃，是主厨的拿手好菜。我心甘情愿地接受了这个提议。森迪要了一份配有覆盆子酱的野山鸡，他说这菜名听起来更像苏格兰菜。当查理听侍者说那道烤嫩小牛肉配松子仁里不仅有松子仁，还有松露时，他更是充满好奇地点了这道菜。在我的记忆中，查理还没有品尝过松露的滋味。至于艾莉，仍旧选择那老套的圆葱兔肉。

森迪摇着头对他妈妈说："求你啦！老妈，你再这样下去，都会长出两只长长的耳朵啦！"

"噢，也许还有大板牙呢！"查理马上接茬说，"哈哈，那我们就叫你妖怪啦！"

艾莉总是这样，一旦我们全家有机会一起到饭店吃饭，她点菜一向没有创意，除了兔肉就是墨鱼，当然这种墨鱼不是裹着牛奶蛋清和面粉炸出来的鱿鱼圈，即便是最没探险精神的食客也敢于尝试。当然艾莉不属于此类。这种墨鱼和蜗牛一样，是马略卡餐桌上一道很普通的佳肴，但是艾莉喜欢的是那种最普通的不添加任何作料的木炭火烤墨鱼，通常她只用柠檬汁做作料。但遗憾的是，今天这里没有墨鱼。

"哎！长个兔子耳朵是一回事，"我也借此跟着打趣地说道，"我担心的是如果你总是这样吃墨鱼，那说不定还会长出其他什么更可怕的东西呢！"

艾莉轻蔑地斜了我一眼，然后满不在乎地晃晃头说："哼哼……你们不用担心！假如这样，我就把睾丸割下来装到盒子里送给你们。”

其实，我和孩子们都已经习以为常了，艾莉一贯这样大大咧咧、口无遮拦，只要是你招惹了她，她就会毫无顾忌地什么过瘾说什么。

艾莉点的这道菜听着根本就不算什么像样的菜。但是，大厨阿马德乌精湛的手艺却让艾莉赞不绝口，她说这是她吃过的最地道的兔肉——大块鲜嫩的兔肉配着柔滑如丝的圆葱片，一道浸在碎杏仁、白葡萄酒和药草调配的浓浓的汤汁中，盛在土陶大碗中端上桌——绝对货真价实！她说，肉块入口即化，毫不费力，正如查理写作业时毫不费力地分心一样！

至于盐焗鱼，我真是怎么夸都不过分。刚端上来的时候，卖相不大好，像是被烘烤得面目全非的“木乃伊”。可是把烤硬的脆皮揭开，就露出了鲜嫩肥厚、油滑多汁的白肉，味道实在太好了，若是图坦卡蒙知道这道菜，肯定会点上一份作为陪葬。

两个孩子贪婪地品尝着自己点的食物，根本无暇顾及其他，一边打着饱嗝还一边说：“嗯……好吃！”“太好吃了！”

我让服务员转达了我们对大厨的赞美之词，接下来，侍者为我们送上了一瓶马略卡草药酒。这是当地一种习惯性的礼节，当然，这种酒精饮品要比咖啡来得更正式一些。我知道他们三个人对这根本不感兴趣，但是，为了表达我们的谢意，也为了不失礼，我只好一个人喝下了四杯绿色茴香酒，根本不去理会艾莉在一旁的嘲讽。

壁炉中橄榄木燃烧着炉火，整间屋子都沉浸在这暖融融的氛围中。正当我一个人在那浓烈刺激的甜酒香气中飘飘然时，一阵尖锐刺耳的弦乐伴着男中音的歌声从门外传进来。我半梦半醒地抬起眼睛，斜歪着头，一只手撑着下巴向门口望去，只见几个年轻人自弹自唱着马略卡传统民歌走了进来。服务员告诉我说，这几名帕尔马大学学法律的大学生利用平时周末空闲的时间凑在一起，到饭店来挣些外快贴补生计。

他们像吟游诗人般挨着桌子走来走去，并由一位手持帽子的学生跟在后面接受客人们的“施舍”。艾莉很不情愿地最后一个把几枚硬币扔进那帽子中。说实话，尽管他们的穿戴和歌声都很不入流，但毕竟这种随意的气氛会使人产生一种怀旧的情绪。

看着服务员送上来的账单，我很惊讶地说：“哎呀，要是早点知道这里的价格这么便宜，去年夏天我就该点些更像样的菜了！”

“别说这个了，”艾莉插话道，“慈善家洛克菲勒先生，今天你要买单啊！”

听她这么一说，反倒无意中给了我一种暗示——应该从她那里“勒索”一些她分得的法国人安迪的那一半酬金。

我拍了拍自己的口袋，做出一副难为情的样子说：“哎哟，说出来真不好意思，我忘带钱包了！”

艾莉笑着说：“啊哈，我真该相信你这傻话，”说着，她打开自己的手提包，“反正羊毛出在羊身上。”

可是，还没等她把钱夹拿出来，森迪突然一把抓住他妈妈的手腕说：“等一下，老妈，这一次我来付账。”说着，森迪拿出他今天所得的那份“横财”，把其中的零头放在收账的银托盘上。“我想，这些应该够了吧！”

艾莉和我马上反对，解释说，其实我们两个是在开玩笑，只是相互戏弄对方一下而已。我们坚持不让森迪付账，不管怎样，这钱都应该我们出。

可是，森迪坚持要由他来付。他说：“这又不是什么其他的活动！”

“是啊，”查理马上抢过话茬，“这又不是去夜总会搭讪姑娘。”他一边说一边在一旁幸灾乐祸地咯咯傻笑。我和艾莉此时又是一阵茫然，不知说什么好。只见森迪用眼睛狠狠地瞪着查理，那意思好像在说：你要是再敢胡说，我就和你没完！

显然，查理是毫无恶意不假思索地随便开了个玩笑，但无意间触到了森迪的敏感点，作为森迪这个年龄的青年人，即使是生活在偏远的乡村，也不可能完全没有自己的生活空间。我完全能够理解这一点，但是，艾莉就不一样了。作为母亲，她总是尽可能地希望孩子们没有秘密瞒着她。当然，假如森迪能在此地找到一个合适的女朋友，那是再好不过的啦！因为这样的话，森迪就会重新考虑自己的未来和去留问题。到目前为止，我唯一觉得欣慰的是查理无意中插的这句嘴把我们从刚才的尴尬中解救了出来。

“告诉你们吧，”查理说，“别看是森迪付了账单，其实这里面至少也有百分之十是我的血汗钱。”

他接着又说：“我知道我自己没有为果园干过多少活，但是，至少这次我们的聚餐我还是起了一定的作用！对不对？”

“但是，我并不认为有你多少功劳。”我在一旁说。

“嗨，别这样，老爸，事实上你不也是身无分文的穷光蛋嘛！所以我说，假如你考虑也分给我一点报酬……嗯，不过，还是等下一次吧！”

“查理，”我摇摇头，无奈地把双手插进口袋里说，“对你来说，钱确实是挺容易挣的啊！”

此时的气氛十分和谐，我的心中洋溢着满足。

艾莉笑得很甜。

森迪假装要吐。

— 3 —

各有千秋

五十岁出头的巴勃罗·戈麦斯是一位白手起家的建筑承包商。他性格开朗，和蔼可亲，身体强壮。那天早上八点钟，他按照约定的时间准点来到我们家。那一刻，我由衷感叹——合约和支票给人的动力竟如此之大。从外表来看，巴勃罗真的就像乔克的太太梅格强力推荐的那样敬业。

梅格是一位专业理发师，她对水泥和砖头之类的东西根本不感兴趣。但是，她工作的那家发廊是帕尔马郊外一家非常有名的专业美发沙龙，因此，她在那里每天都能接触到各式各样的人、听到各种关于马略卡的新闻。所以，她推荐的人一定错不了。她说，巴勃罗的建筑公司从价格上来讲不是最实惠的，但是，他们的专业水准、独到的眼光以及作为商人的职业道德绝对是值得信赖的。梅格说："他是最适合帮你们修泳池的人啦！亲爱的！”

从巴勃罗的发家史来看，他的确是一个令人敬佩和信服的商人。无论怎么说，他从一个身无分文的年轻人一步一步发展到拥有一家完全属于自己的建筑公司，这的确是一件了不起的事。三十多年前，一贫如洗的巴勃罗从西班牙内陆南方一个贫困地区来到马略卡。但是，巴勃罗没有跟其他从内陆来的“移民”一样在迅猛发展的沿海地区从事酒店和公寓的劳务工作。他想自己单干，因此，经过一段时间的考察，他发现与旅游业有关的私人建筑承包工作大有可为，就在佩格拉建立了与其密切相关的新兴产业公司。

开始的时候，巴勃罗没有任何资金，靠着年轻妻子的全力支持，他把上帝赐予他的所有时间都用来工作，长年累月地没有假期，不管是脏活累活苦活，还是被人瞧不起的下贱工作，他都毫无怨言，勤勤恳恳地做好分内的工作。如今三十多年过去了，铁杵磨成针，巴勃罗最初的愿望也已实现。他那辆奔驰车的配置几乎是顶级的，据说他家位于安德拉奇港口附近超大老式乡村庄园中的游泳池比奥运会比赛场地小不了多少。尽管现在他们生活富裕，公司生意也已成规模，但是，巴勃罗从没有放松过自己，他珍惜成功的果实，更珍惜每一份到手的生意。就比如我们家游泳池这件事吧，对他的公司来说的确微不足道，可是，对于巴勃罗来说，可以积少成多，一分耕耘便有一分收获。这已成为巴勃罗的做事准则。

我喜欢巴勃罗这样的处世哲学。但艾莉更关心那棵含羞树，它那金色绒毛般的花朵在冬春两季盛开时的确美不胜收。但问题是，位于院子中央的这株可人植物对于我们要修建的游泳池确实是个障碍。巴勃罗坚持认为如果不移走这棵树，游泳池工程将无法正常进行。

在西班牙语和英语中，no都是一个意思，所以艾莉不用怎么费力就可以完全表达清楚自己的观点——她坚决不同意移走这棵树。

巴勃罗站在那里，非常认真地前后左右仔细观察这棵树的位置，然后还是摇摇头，斩钉截铁地说："这可是一个大问题！"接着，他又认真地思考了一会儿，便走到大门口，从口袋里拿出卷尺测量了一下。此刻，我们又得到了一个坏消息：大门太窄，修建游泳池的挖掘机无法开进院子，所以必须把院墙拆除一部分。

这一次，是我提出了反对意见。这面院墙的历史久远，大约可追溯到阿拉伯人统治时期。我毫不犹豫地告诉巴勃罗，这是绝对不可能的！尽管我是外乡人，但我绝不允许破坏遗迹。

说实话，那一瞬间，我为自己这种冠冕堂皇的陈述感到内疚，其实我是以保护院墙为由，希望这个游泳池的计划可以暂时缓一下。任何内疚情绪，在我一想到我们银行的经济状况不容乐观后，就烟消云散了。我看艾莉此时似乎也在犹豫如何在不伤害她心爱植物的前提下实施泳池修建计划。

但是我打的小算盘很快就落空了。

“我有一个解决办法。”为了保住这笔生意，巴勃罗想了想说道，“我们可以用一些简单便利的小型工具作业，而且绝不伤害院中的一草一木。”

他妈的！我心里暗自骂道，难道他还真有办法让这个计划起死回生？

看样子他是真有办法，他得意地从口袋里拿出一个信封，“请在这份合同上签字吧，先生，”他拍了拍我的肩膀，接着说道，“然后，我们就开始工作，不久，您和您的家人就可以在这个新的泳池中尽情享受了！我保证你们一定会满意的。”

“嗯，用简单便利的小型工具作业！”我嘟囔着，“那就是说相对可以节省一些开支啦？”

巴勃罗看着我咯咯地笑了笑，摇摇头，果断地说道：“噢，不，不是这样的，先生，我的意思是说，如果用小型挖掘工具作业，那会需要更久才能完工。所以……”看表情，他明显有些话难以启齿。

我想此时我必须重新核实一下，我说：“那么，您是说我们的费用还要提高？”

他并没有回答我，而是用手指了指那棵含羞树，然后走到大门口，看着我耸了耸肩。显然，一切要由我们自己来决定——要省钱，就要挖树拆墙；不然，就要多损失一些银子。

“好，那么到底还需要多少呢？”我问道。我想知道还需要额外支付多少才能达到他的预算。

巴勃罗又拍了拍我，这一次，他很认真地对我说：“先生，我是一个商人，但绝对是一个可靠的商人。”

我屏住呼吸等着他继续说下去。

“是的，您放心，”巴勃罗强调说，“我是一个讲究实际的人，绝不会对客户不负责任。”接着，他向我解释说，在一般情况下，用这种小型挖掘工具作业大约还需要百分之十的额外费用。但是，假如我们能够在签约的同时全款付清，他将会免除那部分附加费，因为他本人并不希望更改合约上的条款。他说：“那么成交吗？”

我当然同意。接下来，我们双方签约。巴勃罗兴高采烈地把签好的合同叠好放进口袋里，然后回到他那辆大奔驰车上，摇下车窗，冲着我挥挥手说：“明天见，先生。”“明天见！”我也挥挥手，默默对着车上反光镜中的他回应了一句。

突然间我觉得我的钱包也随之颤抖起来。现在，我们的经济状况已成定局，我对游泳池的期盼反倒显得不是那么强烈了。我对艾莉说：“希望我们这次没做错！”

“不会的。”艾莉自信地说，“如果你同意他们砍我们那棵含羞树，那你才会后悔一辈子呢。”

我沮丧地摇摇头。“问题在你，艾莉，”我小声嘀咕着，“是你对事情的轻重缓急没有分辨能力啊！”

“是啊！”她转过身，几乎是跳着跑回到房间，然后不满地回嘴道，“我等不及跳到我们八米长、四米宽的泳池深水区畅游啦！”

“嗯，我已经在深水区了！”我自言自语道，“而且我完全不会游泳！”

第二天一早，巴勃罗准时来到我们家门口。我在后门看到他时，他嘴里正叼着一支大雪茄同一个与他年龄相仿的小个子男人说话。这个人的穿着很邋遢，一身褶皱的蓝色工装已被磨得泛了白，头上还戴了一顶比自己脑袋小了至少两个尺寸的软塌塌的鸭舌帽，看样子的确有些滑稽，大大的脑袋和他的身体不成比例。

“早上好！朋友。”巴勃罗看见我，笑呵呵地打了一声招呼，然后向我介绍他的同伴路易斯。巴勃罗说人们一般称呼他格鲁乔，因为他的确是一位难得的喜剧人才，而且才智过人，所以他的绰号就从著名的喜剧演员格鲁乔·马克斯那儿得来了。

“很高兴认识你，先生。”这位格鲁乔先生皱了皱眉，用低沉的声音和我打招呼，显得很庄重。尽管此时阳光明媚，但格鲁乔头顶似乎飘着一朵永恒不散的乌云。他伸出铁钳一样的手紧紧握住我的手，我明显感觉到他粗粝的手指像砂纸一样摩擦着我的手背。

“你好，先生。”我一边回应他的问候，一边将自己的手抽出来，活动活动，检查一下是否有挫伤或是骨折。我问巴勃罗：“干活的工人们什么时候到啊？”

巴勃罗嘿嘿地笑着不说话。

我接着重复问了一句。

他还是没有回答我，只是冲着格鲁乔眨眨眼。此时，这位“喜剧演员”拖着脚从拖斗车上拿下他随身携带的工具：一个带双手握柄的橡胶凹篮。我知道这种凹篮是西班牙建筑工人经常携带的一种工具，除了可以装一些随身的劳动用具外，还可以在烈日下遮住自己的脸开始午休。另外，篮中还有一把类似于尖嘴锄铲的凿刀和一个带有三角凹型刃片的短木柄手锯——这可是一个有着多种用途的工具，我在田间看到农民筑犁沟时也用。显然，这些就是巴勃罗所说的小型挖掘工具。巴勃罗又冲着我眨眨眼，示意我瞅瞅格鲁乔手中的工具。

巴勃罗得意地笑了。

格鲁乔则沮丧地皱起眉头。

此时我真的惊呆了，张着嘴哑口无言，看看巴勃罗，又看看格鲁乔。“难道他……就是那个‘挖’泳池的人？可是，我以为是一台机器，一台类似于拖拉机的机器，有液压机械手臂和推挖自如的凹面铲刀的那种……”

巴勃罗慢吞吞地吐出一口雪茄烟气，毫不在意地耸了耸肩。“先生，”他一边说一边重复着昨天的动作——指了指那棵含羞树——然后又走到大门口，“各有千秋！”

忽然间，我觉得当时我应该在合同上规定泳池的完工日期，假如巴勃罗的工期有所延误，就得赔钱。但是，我没有。我现在脑子里只有一幅画面：格鲁乔在我家“挖”一座八米乘四米的坟墓，一拖就是好几年，还没等他完工，我就被银行经理活埋了。

说实在的，我还真不忍心和他们讨价还价。看着格鲁乔每天辛辛苦苦一个人承担好几个强壮劳力才能完成的工作，有时他一个人完成的工作甚至可以顶替一部六轮挖土机，我还能说什么呢！而且，我从没见他在午休时用上那个橡胶凹篮——因为他根本就没有午休的时间。他甚至午饭也不吃，最多在得到我们允许的情况下，从果树上摘几个橘子充充饥而已。艾莉曾有几次招呼他和我们一起进餐，都被他婉拒。他告诉艾莉，早餐多吃点，就能支撑一整天了。他说：吃得太饱，人就会变懒了。

我想格鲁乔的早餐一定有大量蛋白质，只有这样才能使他一整天都有充沛体力完成那样繁重的体力劳动。是的，如果单从他衣衫褴褛的外表和谦卑的言行举止上看，你还一定会认为他是巴勃罗公司中最低微卑贱的劳工，吃不起能量充沛、鲜嫩多汁的牛排。

第一天晚上，格鲁乔完工后就怯怯地提出了一个请求，印证了我的猜测。

“请问一下，今天晚上女主人能不能给我留一些蜗牛？”他胆怯地问道。我看了看他，然后好奇地随着他的眼睛朝北方望过去，只见团团乌云已经密密地压在塞斯佩耶斯山上了。他解释说：“你看，雨要来了。在这样的天气里，蜗牛往往会蠢蠢欲动。你们家院墙周围长着许多野茴香，所以，今晚一定会有许多蜗牛出现在你们家的院子里。假如女主人能够允许我在院子里采一小桶蜗牛，我将万分感谢。”他接着说，“当然，这绝不会影响到你们自己的需求。”说完，他低下头，表现出对自己鲁莽行为的歉意，希望能够得到我们的谅解。

当我拍拍他的肩膀告诉他我们对蜗牛并不感兴趣，而且他想拿多少都没关系的时候，他先是感激地看看我，然后，他夸奖艾莉绝对称得上一个快乐的农庄主妇。之后，他的脸上露出愉快的笑容，这笑容饱经沧桑，如同皮质沙发用久之后的褶皱，同时我们看得出来，他的面部肌肉不大习惯这样的表情。

格鲁乔的捉襟见肘让正在修豪华泳池的我很内疚，同时我突然意识到，我之前对经济压力的担心简直不值一提。瞧瞧眼前这位，区区几个蜗牛就是他这天——也许是这周，甚至是这个月——的高光时刻了。而他正赤手空拳为了我的奢侈劳作着。

我随手又拍了拍他的肩膀后背，其实这只是一种很自然的善意举动。可是，我马上觉得这个动作有些不得体——不能让他误解我是在以主人的身份恩赐他。或许他会认为我只是一个自觉高贵的外国人，所以，他才会如此轻易就获得了这样好的待遇——相当具有营养价值的蜗牛对他的生活是何等重要。当然，从我的角度来看，我不能谴责他的这种想法。或许艾莉可以完全不放在眼里的蜗牛，就是他赖以生活的源泉。

他是一个自律的人，而且很自重，看起来毫不世故。我和艾莉看到他干活确实很辛苦，所以，有时我们也想尽量减少一些他的劳动量。有几次，我们本想把拖拉机和拖车借给他用，但他从没接受过。他表示非常感谢我们的善意。他说他知道我们的果园还有许多比他的工作更重要的农活等着用这些拖车。然后，还是一个人把他自己一锹一铲挖出的泥土用巴勃罗提供给他的工具一筐筐背走。他甚至拒绝使用独轮手推车。他说："谢谢！先生。如果巴勃罗·戈麦斯先生认为我需要手推车，他会为我准备的，因为他的院子里有许多这样的手推车。"

格鲁乔为自己的工作感到骄傲，而且为自己在没有任何人配合的情况下就能够独立完成这些工作感到自豪。看到院子里游泳池大坑的泥土在他的手下一锹锹一铲铲地被移走，我感叹这么一个矮小结实的身躯，在看不到任何前景的情况下，怎么会有如此强大的精神力量支撑着他一个人来完成这么巨大而繁重的劳动。显然，在此之前，他同样一个人承担过如此重任。

第二天早上七点钟，我准备外出办事的时候，看见格鲁乔已经开工了。通常他在太阳升起之前就已经开始工作了。他告诉我，天不亮的时候，蜗牛最容易找到。他接着强调说：为了不影响我们早上休息，他在离我们家几百米以外的路上就换作推着他那辆旧摩托车走路了。他说，他怕摩托车的噪声吵醒我们。说完，他抬头看了看天空，叹了口气，然后苦笑着说，希望阴云过后能下雨，这样他采集蜗牛的计划就能实现了。他的表情又马上转为困惑，用试探的语气问，太太真的对蜗牛不感兴趣？他说他发现了很多蜗牛——比预想的要多——当然，他并不需要那么多。

这一次，我对他的言语没有做出任何不恰当的反应或手势，只是非常平和地告诉他，艾莉不喜欢那些软体生物。然后，我立刻换了个话题问他，今天比往常开工的时间都早，要不要来点白兰地。我知道，许多西班牙人习惯喝点酒再开工——甚至在咖啡中加进一些烈性酒。可以说，在西班牙，这很常见。但我觉得格鲁乔或许并不是这样的人。他可能认为早起一杯酒和进食过多一样，会拖累自己工作的步伐。但他皱巴巴的脸上马上绽开笑容，告诉我并不是这样。

“是的，先生。”他声调提高了八度，兴奋地说，“好的，一小杯白兰地就可以，非常感谢！先生，你也来点怎么样？”

此刻，我真的有些两难。难道这种传统的地方习俗——清晨的这一小杯酒精饮品——真的能把一个人从睡梦中唤醒，而且具有唤醒新陈代谢的作用？其实我清楚地知道这件事在这个国家的确行得通——许多事实都已经证明这点。然而，我这种欧洲北部体质实在不习惯。几个月前，我结识了著名的安德拉奇搞笑能手霍尔迪·贝尔特伦，他在当地的名气很大。那天早上大约九点钟，我推门走进安德拉奇一家酒吧，这里是当地农民休闲时经常聚会闲聊的地方，隔壁是一家五金店。

霍尔迪是一个典型的马略卡人，其实他并不是一个酒鬼。但是，由于他无忧无虑顽童般的性格以及能言善辩的社交能力，加上他从来就懒得过问他自家的那个小农庄，所以，他几乎熟悉安德拉奇所有的酒吧。霍尔迪喜欢社交，更喜欢人多热闹的场所，所以他见人就聊，逢人就问。假如你愿意配合，那他可真就是如鱼得水，天上地下就没有他不知道的事。如果碰上像我这样说英语的人，他更会自豪地用他那蹩脚的英语与你交流。那天早上在那家古巴人开的小酒吧里，霍尔迪正在高谈阔论。

“咳，他妈的！这该死的东西！”他看到我就匆匆结束了发言。说完那句话，他立刻转向我问：“喝点什么，先生？不用操心！我买单。”

我知道霍尔迪多年前曾在英格兰的一家工厂打工，他的英语是那个时候学的。听说他当时的室友是一个亚洲人。而最近，他正与一个曾在中东油田做过钻井工人的澳大利亚人打得火热。由于这些复杂的社会关系，他的英语从叙述方式到词汇量都受到了一定影响。

我那天早上还是像往常一样只喝了咖啡——其实是很多咖啡。不过，由于霍尔迪的坚持，我喝的那些咖啡都被酒吧的侍者加上了威士忌。一般来说，西班牙这种富有想象力的新奇花式咖啡可以搭配任何酒精饮品，如口感柔和、香味纯正的白兰地，质轻味淡的朗姆酒，口味芳香的利口酒或是其他一些酒精饮料。实际上，西班牙本土的白兰地是西班牙人的最爱。但是，霍尔迪却比较喜欢威士忌。这一点和我们苏格兰人很像，我自己也是十分迷恋那种口感醇香、气味清爽的威士忌。不管怎么说，事实上那个早上我的确拥有了一种非同寻常的经验——喝完咖啡之后，我想做的就只是睡觉了。现在想想，我都不记得那天早上我是怎么回到家的。事后艾莉告诉我，一回到家里，我就依偎在客厅的沙发上睡着了。

看着格鲁乔那期待的神情，我真是左右为难。我这个北方体质，早上实在不习惯喝酒精饮料，而且我们也的确不习惯这样的行为在自家的院子中发生。可是，我又该怎么和格鲁乔解释呢？我不愿被他认为是过分节制的北方佬，更不忍心破坏他的兴致。所以，我迂回地用了一个无伤大雅的谎言来回避这个问题。

“对不起，格鲁乔，原谅我不能与你一同分享。其实我早上已经喝了一些——威士忌燕麦粥。你知道，这是我们苏格兰人的方式。”

格鲁乔用他的微笑对此表示肯定。毫无疑问，我的肝也很认可。

看来如此这般利用酒精让这个所谓的“小型挖土机”格鲁乔愈发热情高涨了，即使表面上他阴郁的性格并没有发生任何改变。这就如同一剂兴奋剂使他更有干劲。可悲的是，这样双倍的工作量却让他斤斤计较的上司产生了抵触情绪。当然，这都是后话了。

经过大约一周的辛苦劳动，我们这个游泳池表层的泥土几乎都被格鲁乔移走了。接下来的是厚重的黏土层，现在，格鲁乔也已经开始有计划地着手这项挖掘工作。对我来说，一切的确进行得很顺利。当你站在这整齐的泳池大坑筑堤边上时，你能想象到格鲁乔付出了多少艰辛劳动！

巴勃罗·戈麦斯每天都会来视察泳池进度，他或是礼节性地在形式上做一些指导，或只是偶尔打一声招呼：“你好！”格鲁乔每一次都是以“是，知道了！”或“好的！”等最为简单的词语来回答他的老板。他从来没有因为与老板的对话耽搁一分钟的工作。假如我不清楚这其中的原委，或许会以为格鲁乔的这些行为表现了对老板的怨恨和不满。考虑到两人命运之间的巨大差异以及不平等待遇，这样想也很正常。常言说得好：嫉妒和仇恨本是一对孪生兄弟。然而，事实却截然相反。

我慢慢了解到，就像巴勃罗手下其他工人一样，格鲁乔对他的老板打心底里感到佩服和羡慕。这些工人很多都来自西班牙内陆南部的贫困地区，有些人——就像格鲁乔与巴勃罗——甚至是一个村子的同乡。他们来马略卡都是为了一个目的，即改善自己的生活，希望利用此地旅游业发展对劳工的巨大需求来寻求一份工作。但是，他们除了在各个建筑工地干一些零星的体力活儿之外，并没有机会做其他工作。

所有这些人，包括巴勃罗·戈麦斯本人，来到此地都只有这一条路可走。幸运的是，巴勃罗是靠自己奋斗并获得成功的极少数特例之一。至于其他人，就像格鲁乔一样，只能任劳任怨地为雇主尽全力工作。巴勃罗的机会并不比别人多，但他与其他人的不同之处就是他能够把握时机，自己看准的机会尽可能做好，这也造就了他的好运气。同时，他懂得分享，只要有可能，他就不会让自己的老同乡没活儿干。其实格鲁乔本人很清楚，这份艰巨的手工挖掘泳池的工作总要有人来承担，假如他不接受，那就意味着别人会得到这份工作。

所以，他绝不能轻易放弃这个机会，在他的心目中，巴勃罗绝对是一个可以信赖和依靠的老板，尽管不会过于大方。对格鲁乔来说，“他付钱，我干活”，这是天经地义的事情。

我也许正在见证一种即将和农场上的驴子一起消失的劳资关系。但是，目前依然可行，而且双方显然都很满意。这也让我明白了广泛流传的“西班牙人疏于工作、慵懒怠惰”完全是一种谬论。尽管白天气温很高，特别是烈日当空的时候，但在游泳池的坑里工作的格鲁乔从来没有因此停工。而且不管天气有多热，他从来就没有摘掉过他那顶小号鸭舌帽——西班牙南方人或多或少受到了摩尔人影响——这顶鸭舌帽就如同沙漠中的绿洲。

最终，当我们这个泳池的深坑挖到足有一人深，格鲁乔也实在无法靠自己的力量把坑里的积土运到地面上时，巴勃罗·戈麦斯适时为他送来一辆独轮手推车以及一个可作为连接坑下与地面、方便上下行走的长木板。至此，格鲁乔这个“小型挖土机”才算可以利用便利的工具规律顺畅地工作了。

可以说，这一段时间一直都没有人注意到我们家这项巨大工程。直到有一天，街对面的邻居佩普，一位脾气比较暴躁的老农夫第一次来到施工现场。

那是一个周六下午，他确定“小型挖土机”格鲁乔不在，我看见他缓步走进了我家院子，先在房子附近我们平日用板条箱存放橘子的地方看了看。听到我的脚步声后，他转过身会意地朝我点了点头。像往常一样，他身穿一件破旧皮外套和一条肥大宽松的旧裤子，脖子上系着标志性的红围巾。虽然这工作服有点邋遢，但他头顶上的黑色贝雷帽恰到好处地遮住前额，竟然给人一种文雅的感觉，就像默片时代电影中爱打扮的放荡公子哥。佩普似乎是在炫耀他的这种潇洒风格。他嘴里叼着自己手卷的纸烟，溜达着走到房前已经挖了有一人深的泳池坑边。

“哈哈，老天爷永远也不可能给你如此大的降水量，用上这么大的蓄水池。”他带着嘲笑的口吻说道，“要知道这是在马略卡，而不是苏格兰，或是刚果那种热带雨林。”

他的这番话间接道出了地中海沿岸地区旧时的蓄水趣闻——过去，在马略卡山区，人们往往在冬季降雨量较大的季节利用铁桶、瓦罐等用具在房前收集从屋檐流下来的雨水，或干脆挖个蓄水池，以此解决一年中干旱季节缺水的问题。当然，在我们“市长府邸”农庄西边阳台下也有一个这样的蓄水池，尽管已经很大了，而且还有那么大的屋顶，但我发现在盛夏干燥的季节，我们还需要再买几卡车的水才够。老佩普看出来了，并把大坑和缺水的事情随意联系到了一起。

“老兄啊！”他平时都这样亲切地称呼我，尽管他的年纪足以做我的祖父了。他对我说：“无论你挖多大的坑，也无论老天爷的降雨量有多大，你这个蓄水池的储存量都无法与一个屋顶的蓄水量相比。”他用鼻子嘲笑地哼哼了几声，然后接着说：“四十个妓女！你不需要是科学天才，也能明白这些吧！”

我知道，当他能说出“四十个妓女”时，他是绝不能容忍别人有半点与他不同的观点和意见的。所以，一般在这样的时候，要让他能够有一个出口发泄，我也用不着插嘴和他争辩什么，或许他仅仅是想在你没有任何防备的情况下以这样的方式要弄或是激怒你。我很清楚，假如有人此时打断他毫无意义的长篇大论，只会更增长他嘲笑或欺骗你的嚣张气焰。

我由着他的性子，听着他大声数落我。他建议我们家可以利用洗衣机来储水，这样可以节省几卡车水的花销。他说这当然不关他的事，但是，我们应该清楚，在马略卡务农，淡水比其他任何日用品都重要。而对于一个家庭主妇来说，浴盆和洗衣板就够了，过去也没有人花钱买水。

讲到这里，老佩普说他庆幸自己没有老婆浪费他辛苦赚来的血汗钱，说着，他深深地吸了一口他视为珍宝的自产粗烟丝，我知道这烟丝中含部分有害物质。结果，烟丝噼啪作响，火花四溅，把他呛得满脸青紫，咳个不停。过了一会儿，他的呼吸恢复正常，我们又重新聊起水的话题。说到现在人们每天用水量的问题，他觉得简直是浪费。哎呀妈呀！他说他听说那些奢侈的白痴现在竟然每周都洗澡！也就是说，像我们这样的四口之家每周用来洗澡的用水量，可以够二十只羊喝一年！

听了他的这番话，我觉得最好还是不要告诉他我们家洗澡用水的真实情况，不然，他非气炸了不可。不要说每周洗一次澡，有时天气很热，我们甚至每天都需要冲两次澡。记得有一次，他骄傲地告诉我说他一年顶多洗两次澡：春天一次，夏天一次。如果临时因特殊情况需要洗澡，也只是用瓦罐或铁壶之类的用具烧点热水冲冲身子。尽管他并不讲究个人卫生，但是也没有人指责过他双脚的臭味。他爱护身体就如同珍惜用水，用他自己的理论来解释，人的身体需要自身产生的油脂做保护，六个月洗一次正好，不会影响个人卫生。

听了他的这套理论，我咯咯笑了，因为我联想到了我的祖父。和佩普一样，他老人家也是一个地地道道的农民，他们的理论如出一辙。

“你为什么要笑啊？”他有些疑惑地问道，语气中带着责备，然后斜视着我说，“难道你怀疑我说的话，嗯？”

当我向他解释说我祖父的理论和他一样的时候，他显得平静了许多。

接着，我小小地辩解说：我们“市长府邸”农庄的所有废水都储存在化粪池中，靠压泵抽出来灌溉菜地。因此，我们并没有浪费一滴水，只是将这些废水有效地进行再循环了。

佩普好像对我说的这些并不感兴趣，显然，他对这些已经有所了解。他重新把旱烟塞到嘴角，双手插进裤子的两个口袋，然后点着头看着那个大坑说：“你打算怎么把这个大坑填满啊？是不是还计划建一个大房子啊？”说着，他又深深吸了一口旱烟，烟丝嗞嗞闪着火花，“新建的房子面积一定要赶上国王宫殿了，哼！只有这样才能用屋顶流下来的雨水填满这个大坑。”

没等我回答，他接着又问我们到底为什么需要这么多水。我们有个天然水井，足够浇树了。假如我们同意他所说的洗衣机浪费钱、洗澡很多余，那我们现有池子冬季蓄的水就足够日常所需了。说着，他把手背到身后，歪着头眯起一只眼睛，用另一只眼斜视着我，等我回应。

“现在这个大坑的深度还不足一米，”我看着这个没有竣工的未来泳池说，“我要修的东西起码是这的两倍深。”

他哈哈笑着，用手拍打衣领上的烟灰，有些埋怨地说：“嘿，嘿……好样的！那现在我就明白了，你是要做渔夫养鱼啊！对了，我从广播中听到过关于苏格兰人养殖鳟鱼的事。”他仍旧笑个不停，“那是在挥霍你的时间啊！老兄。”

他接着告诉我，过去三十年中，特拉蒙塔纳山脉最高峰山脚下的戈尔格布劳水库中一直都在养殖这种鳟鱼。不然我以为帕尔马餐厅里给游客吃的那些鱼都是哪儿来的？他说，戈尔格布劳其实是一个很大的湖泊，那里的湖水源自四周山脉取之不尽的高山雪峰融水。这个坑和那片湖相比，就像麻风病人臀部的一个小麻子。我怎么可能有实力和人家竞争呢？何况我们自己还要买几卡车的水呢。

他看着格鲁乔挖的这个大坑，晃着头说："凤尾鱼。"

"什么凤尾鱼？"我好奇地问道。

"是这样的，我觉得无论你家这个坑再挖多深，储水量也只够养凤尾鱼这样的小鱼。但是，你要记住，这也行不通，因为凤尾鱼只能在海水中生存。"

很明显，正如我想的那样，佩普一早就知道我们一直讨论的这个大坑是我们家一直计划修建的泳池。早在格鲁乔第一天到我们家干活的时候，他就埋伏在路口探听到了消息。他关于养鱼的这些设想，只是为了取笑我，让我在承认真相的时候更尴尬。

老佩普站在那儿，眯着眼，双手交叉在胸前，有些幸灾乐祸地等着我的反应，他一定觉得我会因为他的凤尾鱼理论焦虑不安。我知道，他就喜欢看我这种表情。过了一会儿，最终还是他没耐住性子，打破僵局开口说话。他告诉我，这个小池子或许还可以喂养青蛙，毕竟，青蛙属于淡水类生物。他还告诉我，在塞斯佩耶斯山北面的一片沼泽地中，每年这个季节可以获取大量青蛙卵。等青蛙长成后，蛙腿可以出口法国，四十个妓女啊！这样，我就可以赚大钱了。他说，养青蛙的话，或许池塘会长满浮萍，但是，想想看，有和谐的夜曲弥补大自然散发出的臭味，那不是别有一番趣味嘛！

看着他自鸣得意的样子，我知道我输了。

“好吧，实际上我们是在挖一个游泳池。”我低声嘟囔，假装没放在心上。

“什么？”

“我是说我们在建一个游泳池。”我都被自己的羞愧语气吓到了。

“再说一遍！”

“嗯，是这样，艾莉和孩子们坚持认为我们应该修一个游泳池。其实我也不游泳，所以，你知道，我……”

“一个游泳池？嗯……游泳……泳……泳池？”

“是的。”我低下头肯定地说，眼睛却不自觉地看着双脚，就像一个犯了错误的孩子。

听了我这样肯定的回答，老佩普把抽剩下的半支旱烟扔到地上用脚踝碎，然后长长地出了一口气，向后退步的时候差一点被门前的石阶绊倒。看样子他像是真的受到了很大的刺激。

“一个游……游泳池？”他好像还是不相信——脸上的表情像是一个情景剧演员在演戏。他盯着我看了一会儿，就像我在领着一位盲人修女过马路的同时偷了她辛辛苦苦为孤儿院募捐的钱。他的表情显然是把我看成一个罪犯了。

“原来如此，”他说，“你也加入了敌人的阵营。你现在也变成贪图享乐的外国佬了，买了我们的土地，跑到我们这里来吃喝玩乐啦！”

我试着让他相信事实并非如此。但是，他并不听我的解释。

“想一想你花在建游泳池上的钱能买多少山羊和绵羊，这个游泳池可是富人们才能享用的奢侈品啊！”

此时我真的觉得自己很惭愧。就算刚才他的表情和他所说的话也是一种戏弄或嘲笑，但我必须承认，这绝对是中肯的劝告。我无言以对。

老佩普说了很多，尽管其中不乏诱劝和讥讽，但他更关心的还是我们这个业以为生的橘园。一切都不容易。他再一次走到大坑前，带着蔑视的神情看了看这个不受待见的“蓄水池”。然后，他感叹地说：“这的确要浪费很多水。游泳池？上帝啊！这个曾经是绿岛上的农民将要变成沙漠中的耕夫啦！”

他说得没错，而且讽刺的是，我们建游泳池，也是为了给这个小农场增值，这样，假如真有必要，我们就有钱去买更多他所说的农场了。我知道，我现在的任何解释都无济于事，甚至我自己都有一些怀疑自己了。

老佩普最后看了一眼这个大坑，失望地叹了一口气，和我道了一声“晚安”，然后缓步离开。走到房子拐角处，他停下来，转过头来又接着说道：“就连我都会游泳。是啊，如果你曾经是在古巴靠采海绵为生，你也会游泳的。”

我知道安德拉奇镇上的许多人——或许佩普也如此——年轻的时候都曾到古巴淘过金，虽然佩普这个老农场主看着并不像这种人，但我没有理由不相信他。

或许哪一天我还真要请教老佩普，让他做我的游泳教练呢。

离开之前，他像往常一样，给我施了一个好莱坞著名影星约翰·韦恩式的辞别礼。但是，我发誓，就在那一刻，从他那难以琢磨的小眼睛里我看到了一丝诡异狡诈的微笑。难道他真的是在戏弄我？我已经从上一次在帕尔马机场那位海关检疫员与乔克的羊杂碎事件插曲中体会到马略卡人的确天生充满幽默细胞。时间，我知道，时间将证明一切。老佩普使我感觉很惆怅，被优柔寡断和自我怀疑淹没，当然，我很清楚他们那代人有自己的生存手段和经营方式。可是，现在我该如何做？我知道无论我怎样努力，在他的眼中，我无疑还是一个愚蠢的、发疯的外国佬。我可能永远都会是这种形象了，无论我多么努力改变。

正如巴勃罗·戈麦斯所说："嘿，我亲爱的朋友，各有千秋！"

— 4 —

圣安东尼之火

在马略卡的日历上，到处是圣徒纪念日和相应的宗教节日。一些只属于当地，保护神是镇上自己供养的圣人，还有一种是各地都有的节日。圣安东尼节属于第二类，圣安东尼是动物保护神。

每年的1月17日，马略卡岛上每个小村镇和农庄的各种动物以及宠物在经过当地的教堂时都会被洒上圣水以祈求神灵保佑。据说，早期农场主进行这个活动是为了祈求上帝保佑他们的农耕牲畜不受疾病侵害，后来，养猫养狗的人也逐渐加入此项活动，并形成如今壮观的节日。我听说，多年来，经常会有一些过于热心的牧师被山羊顶撞得像个皮球一样满地翻滚，或被罗威纳犬追赶着撕破长袍而东躲西藏，成为大家取笑的话柄。动物们可不管泼在身上的到底是什么

“圣水”。虽然这个动物狂欢节的习俗仍在继续，但被祝福的对象本身或许并不理会这个仪式，关注这个节日的更多还是它们的主人。

然而，真正的节日在圣安东尼节的头一天夜里就开始了。这是一个不受任何宗教约束的篝火之夜，村民们欢聚在一起自娱自乐。当然，节日的动物主角也一定会参与其中，一切都会变得闹哄哄的。

圣安东尼节篝火在传统意义上与那些帮助患者祛除难隐病痛的圣徒隐士有关，所以这个节日又叫“圣安东尼之火”。这种可怕而难以治愈的疾病在医学上称作“麦角中毒”或“丹毒”，明显反应是头痛、恶心、呕吐、腹泻、发烧，开始的症状类似感冒，之后伴随呼吸困难、血压上升、昏迷等症状，而且面部和皮肤都会受到严重损伤，有灼烧感。难怪在后来因抗生素的发明，科学奇迹使病毒细菌感染受到最大限度的控制之前，行神迹的“火人”安东尼会被奉为圣人。

然而，这个可以尽情享受快乐时光的节日并不仅仅是因为圣安东尼这个传说。从西班牙人的性格来看，这的确是一个奇妙的自相矛盾的产物。无论怎样解释，在这样一个庄重的宗教场合，虔诚是必需的。但是，作为一种仪式和庆典，照本宣科未免太枯燥，毕竟这是在西班牙——一个充满着艺术创作氛围的国度。

当然，在这样的节日活动中，金钱的作用是绝不能低估的。比如说，在帕尔马当地的庆祝活动中，除了要选出一个扮演圣安东尼的人以外，还需要有两个人扮演马略卡民间传说中的魔鬼。因此，工作人员需要在庆典的前几天就走街串巷派发名为“米克尔”的奖券。我也不清楚为什么不用圣安东尼命名，而以另一位圣徒米克尔来代替。或许仅仅喊起来更顺口吧！总之，终极奖品——很合适，因为既然这个节日与动物守护神有关——是一头猪。事实上，在雕像与绘画中的圣徒安东尼，脚边经常有一头小猪，而在英国乡村的部分地方，猪圈里最小的一头猪直接就叫圣安东尼猪或简称为唐托尼猪。但是，在马略卡，这个节日还是更慷慨一些。获胜者不会拿到最小的猪仔或老猪，而是岛上最大的猪。假如你家里没有一间足够大的猪舍，没关系，你直接就可以把猪拿到市场上卖个好价钱。

除了安德拉奇，其他小镇上的活动也是各不相同，比如像在小岛北部的萨波夫拉举行的庆祝活动就以吃鳗鱼派著称。安德拉奇的活动规模相对较小，也没有那么知名。每周三一大早，位于小镇东部索恩马斯城堡附近的集市广场上都会聚集成百上千的村民及游客，排成长列的各式货摊上色彩斑斓，琳琅满目。

我们在一月的寒夜中到达这里的时候，圣安东尼的篝火已经点燃，聚集在这里的人绝不少于白天集市上的人群，与白天不同的是夜晚的气氛更加热烈。篝火映照下，狂欢的人影与鼎沸的喧闹声交杂在一起，把四周夜空笼罩下的群山淹没在欢乐的海洋中。

刺耳尖锐的军号声和叮叮咚咚的鼓乐声伴随孩子们行进的队伍渐渐消失在暮色中。第二天早上，他们还会在教堂门前继续游行。一般碰到这样的表演，我们家的拳师犬邦妮总会表现得非常敏感，因为乐队中时常会冒出一些不和谐音刺激它也跟着“嗷嗷号叫”。我非常清楚这是为什么——在苏格兰时我也曾是少年军乐队中的一名风笛手，我知道乐队中的新手和一些平时不努力练习的孩子时常会在演奏中吹破音，从而破坏和谐的音乐气氛，这是不可避免的事情。

邦妮的耳朵今天并未遭到折磨，起码现在还没有。但是她的鼻子却遭遇了新的折磨。作为马略卡圣安东尼节日中象征性的吉祥物，猪——无论从岛上农业发展角度还是居民生活饮食方式来看——从没有受到过像今天这样的重视和尊敬。但是，在这个节日的夜晚，一种猪肉灌肠却成为传统习俗中必不可少的美味佳肴。这种猪肉香肠经过篝火烘烤和加工，美味可口的浓香气息扑鼻而来，令人胃口大开，难以抵御。我们的邦妮更是垂涎欲滴。

艾莉、查理还有我，我们三个人一起在这个狂欢的篝火之夜尽情享受着美食与欢乐。森迪因为在帕尔马北部参加一个青少年足球队的训练而没能和我们在一起。

篝火晚会上，我突然看见了托尼的身影，他和查理同岁，就住在离我们家不远的萨科马农庄。我们搬来这里不久，查理就和这个西班牙少年成了好朋友，而且查理一口流利的带有命令口吻的西班牙语诨话也都是在托尼的指导下练就的。但这种语言学习并不是单方面的。托尼有时会帮查理在我们家的果园中干活。有一次，无意之中，我听到他们两个孩子躲在一棵果树的树杈上交谈，托尼一边支吾地说着笨拙的英语粗话一边用手势比画着。我估计，查理那些课本中没有出现过的西班牙俗语也都是这样一点点学来的。托尼是一个天真可爱的孩子，虽然他和哥哥姐姐都出生在马略卡，但是，与巴勃罗·戈麦斯一样，托尼家最初也是从西班牙内陆迁到此地的。在学校里，他们与当地人受到一样的重视，年轻人在一起很快就打成一片，不会有任何交流障碍。但是，马略卡当地的习俗却和其他地区一样，地域差别是不可能马上消除的，他们不会轻易接受外来者进入自己的社交圈。就像我们苏格兰乡村，同样非常排斥从外地迁居来此的移民，直到有足够的事实和充分的理由能够证明这些新移民的言行举止并没有触及当地的传统和风俗，他们才会被接受。我们刚刚搬来马略卡时也曾受到这样的“礼遇”。就像老佩普对我们家游泳池的百般指责一样，我知道他所表现出来的态度完全可以代表其他村民的想法，但是，事实上现在他们已经开始接纳我们了。

查理和托尼的友谊体现了他们这个年龄段孩子之间的纯

真友情，尽管最初来到这里时，查理也曾经历过别人把他当作异乡人来嘲笑和愚弄，但是，很快孩子们就不计前嫌，融洽相处了。刚开始都是这样的。记得有一次，查理骑着自行车路过萨科马农庄，听到有个孩子在说艾莉的不是，查理狠狠地做出了反击。不过，甚至像这样的小插曲也有好的一面，查理的西班牙语水平突飞猛进。

此刻，查理和托尼正带着从我兜里搜刮到的钱穿过拥挤的人群去买烤肉肠。

一个临时舞台搭建在离篝火较远的广场附近的酒吧旁边，一方面为了安全，另外也可以使坐在酒吧内的客人欣赏到舞台上的表演。这一天晚上还是有点冷，在酒吧门外的露天餐座旁，我看到了梳着传统卷发结的玛利亚·包萨。她是我们的老邻居，性格有些特别，既慷慨热情又喜欢挑刺，这一点和老佩普有点像，情绪反复无常。但是，今天她看起来很兴奋。

舞台上，演员们穿着马略卡民间传统装束在长笛、小提琴和吉他的伴奏下翩翩起舞，老玛利亚着迷地欣赏着这些传统表演。对她来说，任何现代的东西都无法和她心中传统的旧时代相比。不光是这些传统舞蹈令她看得入迷，据我所知，平日里，她宁可用一头毛驴来耕地，也不会选择方便实用的拖拉机。还有，她根本无视电视机以及旅游业的发展给岛上生活带来的影响。因此，我必须要做好心理准备，她指不定会怎样取笑我们家那个新建的游泳池呢。

此刻，我的注意力已经转到了香喷喷的烤肠上，孩子们把每种烤肠都买了回来，每根都像热狗一样夹在一片传统的马略卡乡村面包中。他们还特意给邦妮买了一份超大的猪血肠，它一口就吞下了这块黑布丁似的美食。吃完后，它抬起头来，用渴望的眼神看着查理和托尼，好像是在说：真好吃！能不能再来一个啊？

“哈哈，这种带有血腥味的东西它一定很喜欢。所有狗都喜欢这种猪血肠。”说话的是贝尔纳特，他是安德拉奇镇上普霍尔-塞拉运水公司的司机。他曾为我们家的蓄水池送过几次水，和邦妮很熟悉。他弯下腰拍拍邦妮的头说：“这是一个难得的机会，宝贝，别吃得太多，否则，你会发胖的！”

其实，如果有机会，邦妮一定会不顾危险吃很多的。今天，它真应该感谢这个圣安东尼节，让它尝到了这么美味的猪血肠，但是，的确像贝尔纳特说的那样，不能给它吃多了。舞台上悦耳的音乐与鼓乐队嘈杂的军号声形成鲜明对比。此时，我和贝尔纳特坐着闲聊，邦妮懒洋洋地趴在我的脚下，鼻子却动个不停，嗅着从四周飘过来的香肠味道。

贝尔纳特是一个地道的马略卡人，外表相当帅气。他出生在安德拉奇一户农民家庭，但是现在，他不得不靠开车养活自己。就像我们搬来此地一样，都是因为我们在苏格兰的农场面积太小，已无法适应这个快速发展的时代。不管怎么说，我觉得这是一个机会，我应该和他聊聊我们家游泳池的事，毕竟他的工作还能给我提供一些有利信息。我想了解我们的游泳池最后到底需要用多少水。当我告诉他我们游泳池的最终尺寸时，贝尔纳特说他早就知道了。

他说他在我们家游泳池动工的那天早上就知道这件事了。实际上，老佩普在我们动工的头一天晚上，就已经从格鲁乔那里得到了信息，而且他马上就告诉了贝尔纳特。“老佩普那个早上就传得人尽皆知啦。”贝尔纳特说。

现在看来，我对老佩普的所有猜疑都是成立的。他在我们家游泳池旁和我的那些对话完全是有意愚弄我的，什么鳟鱼、凤尾鱼之类的农业发展计划，纯粹都是他蓄谋已久的陷阱。我和贝尔纳特说起老佩普，想到他这些花招，我忍俊不禁。

艾莉和玛利亚坐在一起看表演，而查理和托尼则干脆就坐在舞台前，他们与其说是在看表演，不如说就是在色眯眯地看姑娘。当一圈圈旋转的舞步把姑娘们的裙子鼓起时，他们两个对着姑娘们的大腿和裙下内衣评头论足，时而又眉目传情地朝着她们微笑。

“贝尔纳特，你说我们家的游泳池一旦完工，到底需要多少车水啊？”我问道。

“大概六车吧！但是为了省钱，你也可以只要五车，如果你也从自家水井里取水的话。前提是，在干旱季节从井里取水灌溉之前，你的游泳池已经完工了。”

他的态度很明显就是马略卡当地农民的观点，即一切都要以果树和农田为先。然而，说实话，我们从没考虑过要用井里的水来填游泳池。我告诉贝尔纳特，井口没有遮挡，你不知道那下面除了水还有什么。喝是肯定不会喝，而且稀释后用来游泳，好像也不是个很好的主意。我把这个想法告诉贝尔纳特。

他耸了耸肩，只说了一个字——“氯”。

“氯？你的意思是氯可以杀死水井中的所有病菌？”

“对。”他肯定地说道。他解释说，这种元素可以分解酒店游泳池中的尿，因此，它同样可以清除水井中的漂浮物以及其他有害物质。

我说如果按照他的这个观点解释，这“其他的有害物质”是不是还包括老鼠啊。

他没有直接回答我，而是强调说:“氯，需要很多的氯。没有问题。”

到时候再说吧，这些技术上的难题我们只能留到完工那时再解决。我现在感兴趣的是从老佩普那儿听到游泳池消息的其他农场主的看法，他们当中必定还有人比贝尔纳特了解得更多。

贝尔纳特笑着对我说，不要在意别人的想法，也不必为自己的奢侈感到愧疚。他说他们这一代人非常理解人们对生活的需求，还说他们很清楚如果出售自己的小农场可以换来更大的空间和更多的利益，那何乐而不为呢？更别说是一个外国人了，假如他们对这个地方感兴趣或者说仅仅因为退休了或想帮度假的房子修建一些必要的娱乐设施，这样的投资绝对是正确的，而且从长远的角度来看还有升值的空间。他的话让我很吃惊，我没有想到马略卡年轻一代的观点和那些老农场主的差别这样大。如此说来，我这份投资的保险系数还是很大的，所以，我真的没有必要再去担心别人的任何意见啦。

突然间，我觉得我们修建游泳池的这个计划是相当正确的，而且，贝尔纳特和我接下来的对话使我更坚定了要继续我们的游泳池工程。

他的曾祖父曾在本地经营一个不大的牧场，随着旅游业迅猛发展，城市扩张得越来越大，他们做梦都没想到一个错误的商业投资使他们失去了自己的“家园”和发展机会。

他的曾祖父像以往一样艰难地应付着各种开销。那时，曾有几个月的时间，他都无法偿还买羊所欠的账款。最终，只有两条路可供他选择：一是偿还货款，另一个就是以自己的土地契约来抵债。他们很容易就做了决定——他们这块土地是沿着海岸线延伸几公里的灌木繁茂的沙丘地带，这样的岩石斜坡在当时已经没有发展前景可言——他用土地换回了羊群。

就是这块在当时“不值钱”的土地后来被开发商们打造成现在佩格拉这片繁荣兴盛的度假胜地，贝尔纳特无奈地苦笑着。现在，像巴勃罗·戈麦斯这样身无分文的外来打工者靠着兴旺的酒店和公寓建筑生意赚足大把钞票，而曾经的土地拥有者贝尔纳特却只能以开水车为生。

他习惯性地拍了拍我的肩膀说道：“朋友，别听老佩普的，按计划修建你的泳池吧。假如他还说什么你不如用这些修建泳池的钱购买羊群之类的话，你就告诉他找个沙丘把自己埋了算啦！”

从轻松的角度来看，可以说马略卡这一代年轻人对一些事情的看法几乎和我们是一致的，但是，从另一方面来讲，他们这一代人却悲哀地失去了自己所拥有的一些传统世袭的财产。在他曾祖父的那个时代，金钱是人生存的命根子，很少有人能抵抗住诱惑，不和魔鬼签订契约。

人群中有人和贝尔纳特打招呼，他转身加入他们的谈话去了。我一个人溜达着来到酒吧门口艾莉和玛利亚的面前，我想如果我和玛利亚说起游泳池的事，那么趁现在她心情好的时候说是最明智的。

“你是不是也已经听说我们家修建游泳池的事了啊，玛利亚？”

可是这会儿，她根本没有心思听我说话，她的注意力完全被刚刚走过来的表演队伍吸引过去了。这是巴尔德莫萨的舞蹈。她对艾莉说："知道吗？这是马略卡本地最优雅的舞蹈，他们的表演非常著名，在世界各地都演出过。"

我有意和玛利亚玩了一个小游戏——因为我知道她只愿意回答她听到的倒数第二个问题——这是她平时的一个习惯，所以，我像玩球一样，赶紧抛出第二个问题。

"你知不知道坐在外面很凉啊？玛利亚，屋里靠窗那儿有空位子，我们不如进去坐吧！"

"游泳池很浪费水啊！"她回答说，眼睛却一直盯着表演的舞蹈队伍，"但那是你的水，和我没有任何关系！你愿意怎样都可以。"

"嗯……"听她这么一说，我告诫自己，"她的这个反应可是比我预想的好多了！"可是我高兴早了。

"西班牙人。"玛利亚嘴里嘟囔着，眼睛却始终盯着表演的队伍，但是此刻，我看到她脸上的笑容瞬间消失了。

"西班牙人？"我听说她不喜欢西班牙本土人的为人处世方式，而且还有一种很深的误解。但是，我不明白此刻是怎么一回事，所以，我不解地问道："可是你不是说这是巴尔德莫萨的舞蹈表演吗？"

"我是说你的游泳池，"她不耐烦地说，"你应该把这个差事交给马略卡人来做，比如托尼·恩森雅特，他是地道的安德拉奇人，明白吗？"

说句实在话，我对本地的服务行业还是非常支持的。其实我知道托尼这个人，他以前帮我们家做过事。他的确是个好人，而且还是个不错的商人。我们刚刚计划修建泳池的时候，我首先就找到了他询问这方面的信息。可是，他说修建游泳池可不是一般的活，他以前没有这方面的经验，所以，他建议我找别人来帮忙。但是此时，我认为没有必要向玛利亚解释这些，因为这种时刻没有当事人在场是很难说清楚的，与其和她辩解，还不如重新问之前那个问题，看能不能把这件事搪塞过去。但是，还没等我开口，玛利亚就领先了我一步，或者说落后了我一步，看你怎么想了。

“凉？”她把头转向我，盯着我的眼睛说，“凉？我？”她呵呵地笑着说，“我可从来就不知道什么是凉。我带着‘小丈夫’呢。”说着，她把她那条长长的黑裙子的裙角撩起来，双脚中间是快乐地发着亮光的炭火炉。

这就是她所说的她的“小丈夫”，一种马略卡老式炭火炉。我听说这种炭火炉很多年前就已经在马略卡消失了，曾一度在还没有盛行玛利亚穿的这种拖地裙的1920年代流行过。但是，对于玛利亚来说，她始终都对那些古老传统情有独钟，你时常会不经意在她身边发现这些东西。

“在我的生活中，”她朝艾莉眨了眨眼睛说，“这个‘小丈夫’可是时时都在温暖我啊！它比真的要实用多了！”

艾莉皱了一下眉说：“但是，你就不担心它会把你的衣服点着了？”

玛利亚伸出粗糙的手指，在艾莉的眼前晃了晃，脸上挂着孩子般调皮的神情说道：“在我们那个年代，我的衬裙里还有比这个更热的东西呢！太太……而且，我也从来不曾听说还需要叫消防队来。从不！”

说完，玛利亚转过身去与身边另外一个干瘦的老太太用西班牙语说她们熟悉的事。

此时，舞台上正表演着火爆的摇滚乐。他们有意把音响弄得震耳欲聋，很显然，这群年轻人企图用重金属音乐把圣安东尼节的活动推向高潮。

邦妮像是受到感染，也随着这嘈杂的音乐嗷嗷叫着。

“西班牙人！”玛利亚伸出中指指着乐队大声喊，“西班牙人的儿子，马略卡的孩子绝不会在这样一个神圣的节日夜晚制造如此荒唐的噪声。”她一激动，不小心把她自己的“小丈夫”火炉踢翻在地上。就在火炉落地的那一刻，它的盖子被震开了，瞬间，火花四溅，木炭撒在节日废弃的各种纸盘上。

被群山包围着的安德拉奇时常在夜间突然降温，此时，一阵冷风从山里刮过来，燃着了的纸盘带着火花迅速蔓延到舞台前方四周的幔帐上。我注意到，此刻，玛利亚在消防队员出现前，迅速趁着人群中的一阵骚动离开了现场。而舞台上那群正在表演的冒牌摇滚乐手看到这样的状况，也马上雷厉风行地把演出器械搬离了舞台。

舞台下一群热爱摇滚乐的女中学生此刻不情愿地撤离了现场，她们被突如其来的骚乱搞得非常失望，不欢而散。但是，我觉得至少我们的邦妮还是很快乐的。对它来讲，无论具体是什么样的火，和圣安东尼节的篝火都是一样的。

就在消防队员打扫完最后的残局，收起消防水管时，我看到了森迪的身影，他刚刚结束足球训练路过此地。

“我刚刚在街角看见查理了，”森迪说，“他正和他的同学德卡·奥布赖恩闲聊呢。他说奥布赖恩家让他今晚到他们家过夜。他们说反正明天是学校的假日，不用上学。查理说他正到处找你们，想征得你们的同意。”

正说着，一辆超大的美国运动赛车出现在我们面前。这个赛车的出现，让森迪那辆西雅特熊猫牌小坐骑看起来就好像一个玩具盒子。查理就坐在这辆红色福特车的后座，德卡坐在前面副驾驶的位子上，而德卡的大哥米克春风得意地坐在这辆“大野马”的驾驶位。我知道奥布赖恩家的男孩子都非常善良，虽然他们出生于当地一户富裕的大户人家，但是这些孩子的行为举止都很规范，从不做出格的事，而且也从没给父母惹上什么麻烦。所以说，我其实并不担心查理和他们在一起，除了查理渐渐被熏染上了更多的享乐主义作风。但此刻我们有必要提醒查理，让他明白他们的身份是不一样的。有机会去享受奢华生活是一回事，渴望这种生活却是另一回事，我相信查理应该清楚这一点。我们觉得对查理来说，他和托尼建立的友情要比和德卡的更真实、更自然，因为碰巧托尼家不是那么有钱。

艾莉问托尼现在在哪儿，显然她此刻希望查理能够和托尼在一起。查理说刚刚在主街上碰见托尼正和当地其他孩子一起去看电影，查理不打算和他们一起。我心里琢磨，尽管查理现在可以流利地用西班牙语交谈，但是，一旦离开国际学校，与其他当地孩子在一起的时候，他一定还是觉得自己是个外乡人，毕竟他与这些孩子的生活环境还是有差别的。我想森迪一旦离开足球训练场地，也会有同样的感受。其实这是一件很自然的事情，时间将会使一切问题迎刃而解，或者说，我和艾莉这么期望着。

“你的新车太酷啦！”森迪羡慕地说，“我记得上一次你送查理回家的时候还开着你自己那辆咯吱作响的破海滩坐骑啊。”

“对，没错。”米克有些不好意思地低下头，显然他也觉得有一些窘迫，他说，“但是，你知道吗？这是我十九岁的生日礼物。我爸爸就……嗯，你知道怎么回事，反正这就是我十九岁的生日礼物了。”

森迪马上也要过自己十九岁的生日了，此时，我没有马上注意森迪的反应，但是，我想他根本就不知道这到底是怎么一回事。一辆旧盒子似的“熊猫”牌车和一辆崭新时髦的“大野马”相比——如果用玛利亚的观点来看——这些“冒烟机械”对于小岛的污染都是一样的，与其比较这些汽车危害的大小，不如索性使用毛驴和手推车。而对于一个十九岁的孩子来讲，这样一个时髦豪华的交通工具必定离不开父亲的支持。其实森迪对他自己那辆靠平时节省攒钱买的轻便小货车还是蛮自豪的，但是现在，我知道他根本不可能理解这到底是怎么一回事。是啊，这看起来挺讽刺的。如果是为了炫耀，森迪倒不如买米克刚刚淘汰的那辆沙滩坐骑。但是实际上，森迪这辆轻便的小坐骑才实用，后座正好可以驮载他每天往返运送的一筐筐橘子。实际上，森迪买这辆小车的意义更多的还是考虑到了我们家的果园生意，他没有多为自己着想，或许他觉得为家庭着想是一件很自然的事情，我和艾莉的确一直都对他这个做法感到非常骄傲——他独立的品格和这种努力奋斗的精神是用世界上任何奢华慷慨的生日礼物都不能换取的。这就好比我们邦妮，今天对它来说，世界上任何美味也无法和圣安东尼节的猪血肠相比。我相信这是它的天性。

“哥哥，你想想，”查理对森迪说，“假如我们一起乘坐这匹‘大野马’从高速公路直接赶去帕尔马的夜总会，会在那儿遇见许多美女，哈哈……多开心啊！”

“嗯，是啊——你做梦吧！查理。”森迪嘟囔着说，“别忘了，现在早过了你们这些孩子正常的睡觉时间啦！”

德卡此时显得很焦急，米克马上在一边替弟弟分忧，他知道，德卡是因为我和艾莉一直没表态而焦虑，担心查理今晚不能和他一起。“别担心！”米克笑着对我们说，“我会直接把这对小屁孩送回家，我开车一定会非常谨慎的。我爸已经提醒我该如何对待这样超大马力的汽车了，他说他只强调一遍！你知道，我也不想失去这辆‘大野马’。”

此时，我不想破坏孩子们的情绪。但是，我怎么也不明白既然他的父亲不希望孩子们飙车，为什么还会给一个十九岁的孩子买一辆如此奢华的大赛车？这就好比把一盘六根的猪血肠摆在邦妮面前任由它自己选择，而我们却放心地离开并相信它只会吃一根一样。这不是自欺欺人嘛！

“好吧，既然你父亲已经提醒过你了，米克。”我说，“你们知道每周在医院里有多少孩子因为飙车出了意外。”我用平和的语气开导他们不要开飞车。看样子米克不像一个不懂事的孩子，我决定尽量把事情夸张地说出来，让他们更加重视，“你们要保证不做出格的事，我不希望从你们家人那里听到任何对查理言行举止的抱怨。好吗？”

米克一边启动他的那辆“大野马”，一边微笑着安慰我说：“放心吧！查理的一切都交给我啦！我保证没问题。”

“等一下。”米克松开手刹时，艾莉失声喊道。“查理，”艾莉对他说，“你也没机会换一下衣服？你的内衣干净吗？”

"噢，放松点，妈妈！"森迪一副痛苦的表情说道，"查理身上的内衣是两周前换的，就是再穿几天也不会更糟，你没有必要为这个操心。"

查理并没有用语言回应他哥哥，只是伸出右手中指表示反抗，然后不出声地用嘴唇吐出几个字："四杯咖啡！"

"好的！"在这匹"大野马"发动机轰鸣的排气声中，德卡冲着艾莉喊道，"如果他需要，可以穿我的衣服，这不是问题。"

此时，我想艾莉和我一样回忆起上一次查理穿着德卡给他的衣服时的情景。那是几个月前，在奥布赖恩奢侈如好莱坞明星新豪宅的家中举行的一次聚会上，两个孩子穿着从德卡的姐夫、一位西班牙著名球星那里借来的晚礼服，打着领结。他们两个人故意同我们开玩笑，说他俩还要借用德卡姐夫那辆白色梅赛德斯豪华轿车到帕尔马城中红灯区最豪华的提托斯夜总会寻开心。我和艾莉都知道他俩是在说笑，因为他俩既没到法定驾驶年龄，也没到可以自由出入红灯区的年龄，所以说查理这一次编的这个荒唐可笑的故事还是会像往常一样被我们识破。他们只是过过嘴瘾罢了。当然了……难道不是吗？

当这匹飞驰的红色"大野马"迅速消失在市场尽头时，艾莉和我交换了犹疑的眼神。

森迪临走也没忘说几句讥讽的话，他说："我倒是想看看今晚会不会在红灯区碰见他们！”他这么说，并没有抚平我和艾莉心中的焦虑与不安。森迪说完，便吱吱嘎嘎地发动起他自己那辆“熊猫”坐骑，驶在回家的路上了。

我和艾莉看了看彼此，又一同看了一眼远去的小“熊猫”车，异口同声地说：“没关系，他只是在说玩笑话。”

“是的，他只是在开玩笑。”我开口说道。

“他在开玩笑！”艾莉接着又重复了一句。

我用胳膊肘轻轻地碰了一下她说：“走吧！在篝火熄灭之前，我们再去吃几根烤肠。”

邦妮听到“烤肠”这两个字，马上竖起耳朵，表示赞许地嗷嗷叫了几声。或许，它自然地感应到在圣安东尼篝火熄灭之前，它还会得到另外一份欢乐。

— 5 —

像狗一样病了

“水？你说什么？你要喝水？”霍尔迪几乎要把啤酒喷了出来，“上帝啊！马略卡的水有什么好喝的！开什么玩笑！”

这是圣安东尼之夜节日篝火过后的第二天早上，我和霍尔迪坐在安德拉奇镇上的索恩马斯酒吧注视着集市广场。此刻，庆祝活动的节日乐队正聚集在广场上准备前往离镇子五公里以外的安德拉奇港口进行表演活动。其他一些居民也正在广场上收拾昨天夜里篝火晚会的残局，准备布置接下来与农业劳作有关的大型演出活动。

这样的活动还是比较低调的。在其他一些国家，比如说英国，庆祝活动要宏伟得多。这里没有牛作为奖品，没有骑马表演，也没有炫耀现代工业技术的高科技生产用具。在安德拉奇展示的更多是古老的农牧业生产用具。

广场中心，由一个个家庭组成的小型展示活动正在进行。一位老者交叉双臂与他们家畜养的羊群站在一起，一旁站着一个小男孩和他笼子里一群战战兢兢的肉兔，就算他们展示的是获得冠军的阿伯丁安格斯公牛，也不会表现得更骄傲。推销螺子拉的简易收割机的销售，也一副很有底气的样子，其他地方卖贵得足以买下“市长府邸”、由卫星操控的顶尖联合收割机的人也不过如此。

可以说所有在这里参加展示的私人家产和物品相对于未来不断进步的农业发展方向都显得非常可贵，这个看起来与时代发展并不同步的具有反讽意味的庆典活动，几个世纪以来一直都是这样按部就班地传承的。无论现实世界发生多么难以预料的变化，安德拉奇的居民都会继续推行祖先传承下来的风俗和传统。他们继承了先辈们朴素节俭的特点，并用自己坚忍的性格和积极乐观的态度面对一切。

霍尔迪·贝尔特伦自家的产业虽然不是很庞大，却具有这种令人敬佩的特点。

“水？”他气喘吁吁地重复着说，“你说你今天只喝水？”他摇晃着他那骨瘦如柴的身体，然后嗤嗤地傻笑道，“我的天哪！你要喝水？开什么玩笑。”他扫视了一圈酒吧四周吵吵嚷嚷的当地农民，端着酒杯，仍旧在那里嘿嘿地笑着看我，就好像是我做了什么稀奇古怪的傻事。好在除了我之外，酒吧里其他人都听不懂他那蹩脚的英语，他们都叽里呱啦讨论着家养的牲畜。

他嬉闹般在我胸前狠狠捶了一下说:“别傻了！今天是个节日，还喝什么水啊？真可笑！”说着，他起身离开座位，“我去告诉服务生给你来一杯啤酒。”

我一把拉住他，“别这样！霍尔迪，谢谢你的好意，但是无论如何，今天我还是只喝水！对不起！”

霍尔迪不满地瘫坐下来，让我觉得今天真是不应该就这样破坏了他的情绪。其实，最近几周，我一直被隐隐的背痛折磨。虽然不总是这样，可时常的疼痛不但扰得我心绪不定，还让我常常担心是不是身体出了什么问题。最开始我还以为是去年修整果园使用那种短把锄铲造成的肌肉拉伤复发了，但是，这次的疼痛与那时不太一样，时间比较长，让我觉得不像是肌肉疼痛，而是肾脏的问题。我被一种沮丧凄凉的情绪笼罩着——或许我想得太悲观了！总之，喝水总不会有什么问题。我记得邦妮前一段时间肾脏也有点小毛病，兽医建议它多喝水，没过多久，它就恢复了健康。

我把这一切都告诉了霍尔迪。

他拍着膝盖大笑着说:“你是说你的肾啊！”他自言自语地嘀咕道，“原来是肾的毛病啊！我告诉你，这可能正是因为马略卡的水！”

“对不起，霍尔迪，我不明白。”

“石灰！”他大声对我喊着，那意思就好像是说如果我不能马上领会这个词的意思，就该去检查一下自己的脑袋是不是出了毛病，而不用再担心肾脏的问题了。

“石灰？”我不解地问道。

“石灰！”他又重复了一遍。

“石灰？什么意思？”我问。

霍尔迪十分不满我迟钝的表现，他气愤地闭上眼睛。过了一会儿，他懒洋洋地对我说：“你知道，那些没用的家伙把袜子都放进水壶里了。”

“什么袜子，放进我的……水壶？”

“是的，”他大叫道，“石灰！我告诉你！袜子都放进水壶里了！”他停顿了一下，把一个手指头放在前额上，想了想，抬起头看着我，像是受到了极大的启发，眼睛放着光，感叹地说：“就是说你的管子里有狗的头发！”

我已经习惯了他这种即兴缩减的英语表达法。我知道他时常会用一种只有他自己才能理解的搭配说话，好搞乱我的思维。他完全可以把话说清楚。显然有时他把我当成了一个白痴看待，我静静等着他把话说清楚。

“看着这个听我说，”他显得有些不耐烦，用两只手拉扯着旧裤腿，双脚在桌子前来回晃动，然后指着他自己的袜子对我说，“袜子，对吧？”

我点点头。

“这袜子是什么材料制造的？”

“棉？”

霍尔迪把两只手松开，胳膊在空中抡了一下，“真他妈的！”他大声说，恨不得让酒吧里所有人都听到。“不是他妈的棉花，是……”他气急败坏地大叫道，然后用手指着窗外的羊群说，“是羊身上的毛。”

“噢，是羊毛啊！对，是羊毛袜。”我想了一会儿，还是不明白水壶里的袜子同羊毛与我的肾脏有什么关系。因此，在霍尔迪还没有说出下一个词之前，我赶紧说“狗的头发”之类的东西使我非常困惑。

霍尔迪深深叹了一口气，然后，大口大口喝着杯中的啤酒。过了一会儿，他又指着自己的衣服说：“夹克，对不对？”

“夹克！”

“这一次我说的没错吧，夹克？”

“对，夹克，没错。”

“那你管你太太冬天穿的衣服叫什么？”

我想了片刻，问道：“嗯？棉袄？”

我想此时霍尔迪的耐心已经被耗尽了，他又一次把胳膊在空中抡来抡去，然后质问我，在苏格兰他们说的到底是什么英语。我难道不知道狗的毛发被做成了夹克让女人在冬天不再感觉冷吗？

“嗯……”

“爱斯基摩人！”他来回走着，然后隔着桌子冲我大声喊，脸上带着一丝神秘，“就是爱斯基摩人的帽子。”

终于说出来了。“噢！现在我知道了，”我笑着说，“是毛皮！你是在说毛皮，对不对？”

“毛皮！”他两眼放光地对我说，“毛皮——狗身上的毛——一个东西！哈哈……这就是我要告诉你的，知道了吧！”他晃晃头，眼球盯着我来回转了几下，然后萎靡不振地走回他自己的座位，有些愤怒地喘着粗气抱怨道，“真可笑！他妈的！”说着，他从上衣口袋里拿出一根香烟点上。

我看着他一口口吸着烟，等着他情绪稍稍稳定一些，然后跟他说，我还是不太明白羊毛与毛皮到底和我的肾脏疼痛有什么关系。

“教皇被石头碰破头……流血了，明白吗？伙计！”他尖声说道，“这就是‘石灰’，我告诉过你了吧！”说了半天，我还是没明白到底这是什么意思。他举起右臂，指着窗外广场对面水管工胡安的店。“羊毛——水壶——皮毛——管子——水——就是这样！该死的石灰！”

这时，艾莉走进酒吧，轻轻松松地加入了我们的谈话。

“石灰？哦，我知道，实际上这是水中最讨厌的一种东西，会让管道起水垢。事实上，我是路过胡安的店才知道的，我看到他们用浸湿的羊毛织物清除壶底的石灰。”艾莉三言两语就说出了事实真相。

我很迷茫自己怎会如此迟钝，她怎么一来就听懂了霍尔迪在说什么。

霍尔迪站了起来，礼貌地向艾莉鞠了个躬，“你好！女士！”他一边说一边指着我们桌子边上的一个空位，“女士，请！请把您的臀部在这里存放一会儿，非常感谢！”

这是霍尔迪一贯的绅士作风，不管怎样，多少都表现了他的一种诚意。艾莉知道“臀部”是霍尔迪口中最粗的脏话了。而霍尔迪自己会说，他在女士面前一向都表现得很有风度。

艾莉有些不知所措，她觉得在我面前没给我留面子实在有些尴尬，她说:“就是一个单词的事，你只掌握了西班牙语中农业方面的单词，比如小虫子、肥料、发酵，而对一些日常家政方面的，比如石灰……对了，石灰！马略卡的水都是含有石灰石的。你知道马略卡的地下岩洞吧。”她耸耸肩，“就是这么回事。这里的女士们都知道什么是石灰，假如你洗头不用软化洗发水和护发素，结果会怎样，你是知道的，水就会损害你的发质。”

霍尔迪满意地点点头，“说得太好了，女士。”他竖起大拇指对我说，“我就是想这么解释给你听的。这种水对肾也不好！”

艾莉困惑地转着眼球，“这个……嗯，肾？”

我抢在霍尔迪之前把他的理论复述给艾莉听，以免再次陷入语言困境。

“就是这样，女士。”他机敏地夸奖道，“我告诉你，其实我说的就是这件事，喝多了这种水，我的胃肠一样也会不舒服的。”

幸好艾莉以前也听说过霍尔迪的健康问题，所以，我不用再担心听他蹩脚的解释了。总的来说，他的肝脏曾经受过损伤，用他自己的话来说，就是“牛肚”出了问题。一次霍尔迪与他的澳大利亚朋友韦恩拼酒，结果几瓶白兰地过后，霍尔迪被送进医院，医生建议他今后要以水代酒。可是，没过多久，霍尔迪就忘了医生的劝告，又开始喝起啤酒，而且，他还强词夺理说“水会让胃肠很不舒服”。但是，我想他是故意忽略了他饮用的马略卡本地啤酒也是用水酿造的事实。

他把胳膊肘拄在桌子上，双手托腮，严肃地看着艾莉，以一种信赖的语气对艾莉说：“是的，女士，假如我喝水，那我的眼睛都会流出五十公里长的眼屎来。”

艾莉假装咳嗽几声，看着霍尔迪，试图让自己严肃起来。但是，她还是忍不住咯咯笑出了声，“真的？”她用颤抖的声音说，“想象一下……五十公里！哈哈……”说着，她从手提包里拿出手帕擦拭眼角流出来的眼泪。

霍尔迪心满意足地笑了，至少在他的观众里面还有一个人能够听懂他的英语。他又站起身来，一只手背在身后，对艾莉礼貌地行了一个礼，然后说：“霍尔迪得走了，女士，可以敬你一杯吗？”

艾莉同样优雅娴静地低头回敬了一个点头礼。

等他们的这一套礼节完毕，我紧握霍尔迪的手，表示非常感谢他关于饮用水问题的诚恳劝告。

“就是‘石灰’的问题，伙计，这回你该清楚了吧。”

他又重申道：“就是马略卡水中的‘英国佬’。”这一次，我知道他想说的是“马略卡水中的石灰石”，可是，他又把词用错了。霍尔迪用手指了指自己肝脏的大概位置道：“糟糕的是霍尔迪的内脏，而不是什么水。懂吗！”他指着我肚子附近横膈膜一带，“你是这里疼吗？那是肾中的石灰在作怪，听着挺可笑吧！”他一边说一边向门口走去，带着他特有的告别礼离开了酒吧。

“他说得没错，”艾莉对我说，“或许你那恼人的疼痛就是肾结石。人们不是说常常喝硬水会得这个病吗？”

“但我也没有大量饮用这样的水啊！”我对此嗤之以鼻，“实际上，这是我第一次在酒吧里喝这样的水。”

“嗨，行了，别太在意什么肾结石啦。我还担心你听了这些乱七八糟的东西，心脏会不会受到什么刺激呢！”

我望着桌子上这杯水，想着酒吧里刚刚发生的一切，对她说：“艾莉，我这里真的是很疼，这可不是开玩笑的事。”

艾莉还是没忍住笑：“要真是这样，你就该去看看医生了！不要再硬撑了。”艾莉怕我误解她的意思，接着又说，“我现在也无能为力，帮不上你什么。看到你那么痛苦，我也很心疼，早知现在，何必当初啊！”

“弗洛伦斯·南丁格尔又一次罢工啦！”此刻我是多么希望得到艾莉的关心和体贴，哪怕是口头上的一点安慰，我嘟囔着，“你真的忍心看着我痛苦不管啊！作为一名前护士，仁慈的天使，难道你会如此狠心？”

“是啊，假如每天都要给一位卧床的老人擦洗身子，还要在午夜为他端屎倒尿，换了谁也都会烦的呀。”

显然，此刻我得不到一丝溺爱和娇宠，我知道艾莉说得一点也没错。我应该现在马上去看医生，这比在此浪费口舌来换取一丝怜悯要实际得多。可是，医生的建议就能治好我吗？我们刚刚搬到岛上时就已经办理了医疗保险，而且这家保险公司还特意为我们指定了一位私人医生——赫苏斯。他的诊所位于安德拉奇港口，据说他是这个地区声誉和医德都非常好的医生，但他的名字总让我心存芥蒂[1]。用面包和鱼施点魔法可不像现代医生会做的事。

但是，我一直没和他联系的真正原因是我知道他本人不讲英语，所以无论如何，电话里我们是无法交谈的。假如我要和他取得联系，首先我们必须提前约定一个时间，然后，我还要做足西班牙语的“功课”，这样才能向他叙述我的病情。我知道，像这种涉及医学术语的交谈假如在电话中进行，

---

1 赫苏斯（Jesús）的原文同耶稣（Jesus）很像。

常常会遇到许多难以预料的困难，这要比打一个电话请求普霍尔-塞拉运水公司给我们送一车水难上千万倍。我觉得和一位医生在电话中交谈简直太愚蠢了，特别是像我们这样语言上难以沟通的外国人。所以，经过全面考虑，我还是决定面对现实——先拖着吧，用我自己积极乐观的态度面对这一切。

“不，艾莉，”我说，“你不是说让我先去看医生吗？但我觉得我还是应该再看看，我的意思是说，我可能也就是肾脏受了点风寒。所以，不管霍尔迪怎么说，多喝水，也许过几天疼痛自然就会消失的……对，多喝水或许会解决问题的。”

“哦……你就是不想给医生打电话，嗯？”

我没说话，只是忧虑地一口接一口地喝着水。

艾莉看着我这个样子，禁不住嘿嘿笑了起来，“一位勇敢的殉道者！”她习惯性地耸耸肩，“那可是你的肾啊。”

这几天，我一直都没告诉艾莉我的肾脏有些不舒服，因为我知道，假如艾莉知道这一切，她一定会督促我给医生打电话的，我不愿意为此和她争吵。听人说兽医的理论不仅仅只是针对一些动物而言可行，人类同样可以从中受益，所以，我就找了一本兽医的书看。其实，是安德拉奇的兽医加夫列尔·皮格瑟维尔先生在给我们邦妮医治肾病时给了我一些启示。他告诉我，在治疗过程中，给狗吃的药和给人吃的是完全一样的。我相信他的话，还把药品说明书从西班牙语翻译成英语来阅读。我发现在说明书的介绍中并没有表明人类不能服用此药。

问题是，在服用了兽医加夫列尔给邦妮开的处方药几天之后，病情并没有任何好转。事实上，我疼痛间隔的时间越来越短，也越来越严重了。也许，我真该鼓足勇气给赫苏斯医生打个电话。然而，假如在我向医生解释病症时用词不当或说得不够准确，那还不知道会发生什么事情呢。假如我的输精管或其他什么器官被误割了怎么办？我考虑得越多，就越害怕去看医生。

是的，我还是暂时先服用邦妮的药片，多喝水，坚持几天看看情况再说吧。

尽管艾莉对我的态度有一些冷漠，我知道她其实并没有就此放弃南丁格尔救死扶伤的人道主义精神。此刻我还在那儿认真想着该不该去看医生，完全没有注意到她坐在一旁一直盯着我，而且，她的表情也随着我的情绪而变化。可以说艾莉十分了解我的个性，她知道不管是批评我还是诱哄我，都不会有什么效果。但她也不会就此袖手旁观，假如我的身体真出了什么毛病，当然只有医生才能真正解决问题，所以，她准备用她自己的方法尽快解决问题……

两天后，当我早上给赫罗尼莫先生送完货从佩格拉镇回来，走进厨房的时候，艾莉正在准备午餐。突然，后背一阵猛烈的刺痛使我不得不痛苦地用一只手扶着后腰，另一只手拄着桌子弯腰靠在椅子上，我的表情也相当痛苦。艾莉走到我身旁，狡猾地笑了。

“这是给你的。”艾莉说着递给我一个塑料袋，里面装有一些干树叶和树皮。

“这是什么啊？”我紧蹙着眉头问道。

“一些干树叶和树皮。”

“是啊，我已经看到了。可是，艾莉，你这是干什么啊？”

“我从荷兰人内莉那儿弄来的。”

“谁是内莉啊？”

“她原名特别长，别人都叫她内莉。我在镇上买东西的时候碰见过她几次，她人很好，还很风趣。她是为了逃避阿姆斯特丹疯狂的职业竞争而来此栖身的。她现在寄宿在萨拉科附近一个德国人家里。”

她这么一说，我想起在安德拉奇通往北部度假胜地圣艾尔姆途中的萨拉科农庄中，一直有着不受任何世俗束缚的类似波希米亚的风俗。

“萨拉科……嬉皮士，她是吧？”

“嗯……我想或许是吧。”

“阿姆斯特丹，哼！”我不以为然地瞥了一眼艾莉递给我的袋子，然后把它放在桌子上问道，“卷成烟抽的吗？”

“别傻了。”艾莉嗤了一声，显得有些不耐烦。她从桌子上拿起那个口袋重新递给我说：“是让你泡着喝的。”

“不管怎样，我可不能被萨拉科那些极少数已经退出世俗社会的思想观念洗脑。”说着，我又把它放回桌子上，“你的好意我心领了，你这样做还不如给我一瓶红酒。”

“你可别这么说，其实你知道这就是为什么内莉会给我这些东西。除非你相信赫苏斯医生比她的手段更高明，能把你喝的这些水都变成红酒。”

我不耐烦地晃晃头说：“你在说什么呀，艾莉？”然后，我把那个塑料袋拿在手中仔细看了看，沉吟道：“你可根本没见过这疯狂的叶子到底有什么用呢，对不对，艾莉？”

艾莉觉得我疑心病太重了，总是把一些事和一些人想得太坏，完全没有这个必要。她说她从没想过要服用我暗示的那种东西，她的朋友内莉也没想逼着我用掉它。她强调说内莉只是想用一些其他的方法帮我治疗肾脏问题（如果真的是肾的问题）。总之，她们在想方设法让我既不用以酒代水，也不必担心去和医生进行语言上的沟通。

“啊……哈……哈哈，那我就不懂了，她为什么要帮助像我这样一个陌生人呢？”我用手指弹了弹这袋东西，接着说道，“哇哦，她一定是收了很多钱。那好吧，我照你说的做。”

“看看，你又往坏处想了。你知道世上还有一些人可不是为了牟利而活的，改一改你那怨天尤人的毛病吧，内莉就是这样的一个人。”

我立刻闭上自己这张酸溜溜的嘴听她讲。艾莉说内莉和她的伴侣皮特放弃了在德国经营的广告业务，一起来到马略卡开启新生活。两人都是狂热的游艇航行爱好者，为了实现梦想，各自出售了房子，并把收入的一大部分用于购买游艇，也就是一艘古老的双桅纵木大船上。这艘适于在大洋里航行的船足以使两人此后的居所无后顾之忧。尽管这艘名为“鹬鸟”的游艇需要悉心照料和爱护，但这就是他们梦寐以求的理想生活方式。二人满腔热情地从阿姆斯特丹启程，谁料想在经过比斯开湾时遭遇了风暴袭击，经过与暴风雨的顽强抗争，最终安全地在安德拉奇港口靠岸。他们修整好一切设备，把甲板上的桅杆漆涂成黄铜色。经过这一次历练，他们比以往更渴望航行和冒险。

他们预料到起航之前会花费一些时间来走完西班牙政府需要的必要法律手续，却完全没有料到这要比他们预想的时间长得多。最终他们了解到，在西班牙——一个“明日复明日”的国度——一切都要耐心等待。在等待这些官方许可和证明的时候，他们意外逃脱了以往日常生活中的那些琐事，突然发觉时间变得充裕起来，海湾边的闲适生活时时刻刻提醒他们做出了正确的选择。

想象一下，每天清晨在地中海海风的轻轻摇荡中，枕着柔和的波浪从温暖舒适的古老木船中醒来，阳光折射着海水的光束滴洒在脸颊上、指缝间……多么舒心的生活！人活在世上还有什么渴求？伴着升起的太阳，他们离开甲板，一路漫步在山涧树丛中的时候，那种强烈的感受使他们无怨无悔地扎根于此。

这里的人际交往也让人放松。沿着港湾古老石墙延伸的堤坝上，观光游客、当地渔民以及以船为家栖息于此的侠客乐此不疲，流连忘返。虽然他们的生活背景和人生阅历各不相同，但他们来此共同分享的是他们热爱自然、热爱生活、热爱这片土地的快乐心情。尽管相对于外面的繁华世界，这里只是一个微不足道甚至是颇为封闭的小天地，可处处充满了欢声笑语，内莉和皮特很快就和这里的人打成一片。白天，他们坐在港口的石阶上悠闲地与志趣相同的朋友闲聊。到了夜晚，蒂姆酒吧的音乐与美酒伴随着午夜的点点星空，让人们带着丝丝醉意进入梦乡。安德拉奇港就是这样一个游艇的朝圣之地。每天沿着港口码头一路散步走来，人们相视而笑，点头问候，望着能够生活在此的居民和停靠在岸边的游艇，露出了羡慕的目光。安宁祥和的时光伴随着阳光和微风融化了这两个北方人的心。

他们的梦想就这样变为现实，任何时候都可以随心所欲在地中海中航行，马略卡紧邻的梅诺卡和伊维萨岛是他们经常前往的岛屿，这就是他们的生活，也正是他们向往的生活。

但是，现实生活并不如想象中那么轻松，很快他们的游艇停泊在港口的费用就成为他们经济上的一个重大负担。按照常理来说，像“鹬鸟”这样一艘旧船是需要经常打理和维修的，但是，他们没钱雇用其他人来帮忙。所以，常常也只有内莉一个人帮助皮特进行船上的一切清理和整修工作。要知道，人手不够时常会带来一些安全隐患。一天，天气昏暗，狂风四起，当皮特爬上桅杆去整理桅杆纵线和风帆的时候，不小心一脚踩空，从半空中跌落到甲板上，结果，他脊椎受到严重损伤。更可怕的是，他没有办理医疗保险。

随后几个月的住院治疗，医药费几乎耗尽了他们的所有积蓄。最严重的是，由于脊椎受损，皮特不能弯腰回到甲板下面的船舱生活，就是说，从此以后，他也许将永远不能与他心爱的“鹬鸟”一起扬帆远航了。由于受到资金的束缚，他们现在不得已寄宿在附近一户德国人的空房子里，替他们照看房子，等待有一天皮特的行动能够自理。现在，他们至少还拥有这艘船的所有权，假如命运善待他们，或许一年后，皮特就能恢复健康，重新去实现他们的航行梦想。

他们对未来充满希望。是的，无论将来发生什么，他们都将乐观地面对现实。但是，资金的压力时时危及着他们的生活，尤其是停靠在安德拉奇港口的这艘“鹬鸟”，它就像希腊传说中达摩克利斯的剑一样一直提醒着他们，他们必须面对现实——乐观的生活态度并不能缓解令人堪忧的资金状况——皮特的身体和他们所珍爱的“鹬鸟”都需要经济支撑。更糟糕的是，安德拉奇港口的船只停泊费还在不断上涨，如果不能按时付费，他们将失去“鹬鸟”，失去他们的家和一切。没有固定工作和经济来源使他们的生活面临危机，前途黯淡渺茫。看来，这两位过于乐观的航海梦想家注定要在这美丽的地中海海湾失去梦想。

突然，我的身体和经济状况似乎一下子缓解了不少。听了这个真正悲惨的故事，我关心地问艾莉，接下来的情况怎么样了。还没等艾莉回答，就听到窗外传来一阵突突的摩托车声，我们抬眼看去，内莉已经来到了我们院子围栏外。

“哎哟!”艾莉笑着说，“你可以亲自问她，看，她不是来啦!”

“她来这儿干什么啊？”

艾莉瞪了我一眼说：“你这是什么态度！人家可是给了你一大包草药，让你不用去看医生了！”

“噢，是啊！但我真的不想卷入那些不可思议的神秘学说中，什么迷幻蘑菇、罂粟花之类的。”我又弹了弹内莉给我的装着树皮、树叶之类东西的塑料袋说，“我的意思是，不久以前，我听说她曾像巫婆一样到处兜售类似这个塑料口袋里的东西，说这是治病的偏方。”

但是，艾莉并没有听我在说什么，她一边向门口走去，一边自言自语道：“我希望内莉带来了皮下注射器。”

艾莉到底想干什么啊？“皮下注射器？”我愤怒地问道。

“对，你说得没错，就是皮下注射器。”她兴奋地嘟囔着走出厨房，“我得去教她怎样打针啦。”

— 6 —

在“耶稣”医生的庇护下生活

无论纤弱的内莉身上要扛多重的担子，她没有因此消沉，也没有表现出一丝焦虑和忧愁。想起艾莉说的我的疑心病，我突然觉得自己对她是有一些误解。她对待问题的态度和轻松的谈吐使我感动。我想，任何人，尤其是像她这样经受过生活磨难的人，都会敬佩她如此无忧无虑、轻松愉快的生活态度的。

她身穿一件刺绣齐踝牛仔长裙，裙子上绣有吉他以及高音谱号图案，一头长长的金色鬈发用串珠发夹束起发绺，她的样子就像是1970年代纳什维尔女王和皮肤苍白的马来公主。我猜她三十五六岁，但是，绒毛如桃的皮肤和月牙般笑眯眯的眼睛让她看起来也就二十岁左右的样子。她的脸庞娴静端庄，带一丝羞涩，一股由内而外散发出的美丽如同拉斐尔笔下的圣母马利亚。她的笑容中带着调皮和友善，言语间充满了对生活和大自然的热爱与憧憬，性格中带着一股冒险精神。她的出现使我几天来忧郁消沉的情绪大为转变。

礼节性的相互介绍后，她关切地用流利的英语问起我的病情："听说你的背部有一些不舒服，是吗？"温和的语气中略微有些翘舌音和平舌音混杂的现象，这是典型的荷兰人说英语时出现的口齿不清，但是，话从她的嘴里说出来却是如此动人。

"噢，是的，有一点，但是，嗯……我只是觉得有一些寒气在……"

她微笑着打断我，说她已经从艾莉那里了解到我的病情了。她随手搬了一把椅子坐在我身边，礼貌地问道："我可以坐在这里吗？"

我点点头，这一次真真切切地听出她口齿中发出的翘舌音。

她把塑料袋中的干树皮拣了几片拿在手中，然后看着我的眼睛说："我觉得这些叶子应该有用，但如果没用，你就应该尽快去看医生。嗯？"

"哎，是的，没错！不过，我认为我还是坚持喝水为好，嗯……"

内莉没有说什么。她很清楚自己该怎样做。她说她听艾莉说我可能是患了肾结石，而且一直在用饮水疗法来排石。

她说她也曾听一位帕尔马的修女这样告诉过她。

“修女，你是说修女？”

内莉像是受到了污辱，显得有些恼怒，“是啊，的确是修女说的。怎么啦？”

出于礼貌，我不能表现出任何轻视的态度，但是，我告诉她上次在帕尔马停车场与那些嬷嬷发生的冲突不得不使我对她们抱有成见，我还意外地被她们打伤了呢。

但是，艾莉却表示赞同内莉的观点。据我所知，皮特受伤后，由于支付不起昂贵的医疗费用而不得不离开医院，那时，他们得到了来自嬷嬷们的无私关照和悉心诊治，内莉听从了她们的治疗建议，坚信皮特能够在不久的将来恢复健康。

内莉对我说绝不能因为一些小事轻视她们的能力，因为她们拥有独到而丰富的医学经验。几个世纪以来，她们无私地为贫苦百姓排忧解难，医治伤病。她们这些医疗经验都是从实践中获得的。长久以来，她们利用各种花朵、种子、药草、叶子、树皮之类的自然物质为病人解除疾病和伤痛，取得了非常好的疗效，受到广泛尊重。她说，现在除非我有充分的理由反驳，她会继续用这些古老的手段对我进行治疗。还没容我有所考虑而说出反驳的意见，她又强调说，无论如何，她带来的这些冲泡饮品绝不是毒药，也不会对我的身体造成任何伤害，就算对我的病痛没有任何疗效，她还是建议我不妨尝试一下。

内莉和艾莉热心地准备为我冲泡一杯这些所谓的自然花草药饮。我想，此时如果没有充分的理由或恰当的词语来拒绝她们，我就只有闭上嘴巴，好好享受一下这幸福的时光了。艾莉拿出水壶去烧开水，内莉则接着跟我讲她和皮特现在的生活。

就在他们孤苦伶仃不知所措的时候，他们最后所期盼的只是能够弄到一笔钱来偿付他们那艘“鹬鸟”在海湾的停泊费。如果不能支付这笔费用，他们就只能卖掉它了。但是，就在此时，他们又发现船体的龙骨已经严重受损，急需修复。由于修复工作必须在水下进行，因此这将需要更大一笔资金才能够使船体外壳得到极好的维修和保养。假如船体不能完好如初，这艘游艇就必须低于原价出售。她说，至少在短时间内，这种替人照看房子的不稳定工作和生活方式是当时的最佳选择。等到皮特身体恢复，他们可能就不得不放下自尊，租间小屋重新开始他们所熟知的广告业务了。

此时，幸运女神适时出现了。就在他们沮丧无助的时候，蒂姆酒吧里的一对外表温和友善的美国夫妇——巴德和埃米——向他们伸出了援助之手。他们告诉内莉他们最近刚刚卖掉了自己的远洋游艇，但是，由于准备去西班牙内陆会见朋友，他们近日急需一艘游艇前往巴伦西亚。令内莉和皮特更没有想到的是，他们说朋友欠他们一些人情，所以能以极低的价格为“鹬鸟”提供一些必要的修缮工作，这笔费用他俩可以出，因为驾驶木船太让人兴奋了。这次航行需要几个月的时间，所以，皮特刚好可以借用这段时间养养身子，说不定就康复了，从此不再为“鹬鸟”的停泊费用担忧。

这个好消息实在令人难以置信。这样既可以保住“鹬鸟”，又可以好好维修，何乐而不为！根据航海的明文规定，进行航行的游艇上必须有船主的所有登记证件。巴德适时提出这点。在这个关键时刻，无论是内莉还是皮特，都理所当然地觉得这没有问题。此时，他们全然不知自己太过轻信他人了。在他们心中，无论对人还是对事，他们都丝毫没有任何猜疑，他们完全相信了同是航海爱好者的巴德和埃米。几天后，他们在安德拉奇港口与这两位“慈善”的美国人挥手告了别。

然而，一年过去了，内莉和皮特始终没有在安德拉奇港口看见返航的“鹬鸟”的身影。而且，根据海事当局随后的调查表明，没有任何迹象显示巴德驾驶的游艇出现在西班牙本土的版图上。在美国驻马德里大使馆中同样也没有查到巴德和埃米的名字以及他们所提供的住址。现在，对内莉和皮特来说，无论这两个美国人的真实身份是什么，无论“鹬鸟”现在何方名为何物，一切都已经随风而去，他们不愿再回忆此事。他们是无辜的受害者。陷入孤立无援的困境的内莉不仅没有了一点“鹬鸟”残留下来的碎片，更失去了实现他们梦想的“护照”。

“杯具。”说着内莉用手撕开装着那些干树叶的塑料袋。

“是啊！”我叹了口气说，“我也认为是挺悲剧的！”

“不是，”内莉马上打断我说，“我是说让你递给我一个大杯子，好替你冲泡一杯治病的草茶。”

艾莉冲着我说：“说话前也不想一想！你没看见我都已经把开水拿过来了呀。”

我不好意思地对内莉说了声抱歉，但我还是认为他俩这种轻信他人的做法实在是很可悲。容易受骗是因为他们轻易就相信了别人！我觉得应该把这个简单的道理告诉内莉。我问她现在怎么样了。她说，这个事实并没有击垮她，所以，倒不如把它忘了。

艾莉把内莉悉心冲泡好的草茶递给我。

“这该死的东西！”我走到桌边指着那杯冲泡好的草茶对内莉说，“你希望我把这个喝了？”

“对，全都喝下去吧。”内莉一边说一边小心地把杯子递给我，“她们说喝着的味道要比闻着好多啦！”

“她们是在骗你，”我拿起杯子抿了一小口，然后喷溅着唾沫气急败坏地说道，“相信我的话吧，就算是一只臭鼬鼠都不会相信这个鬼东西能治病。”

“你休想不治而愈。”艾莉瞪了我一眼，然后一本正经地说道，“快喝吧！哪来那么多废话，你就不能闭上你的嘴？”

然后，艾莉以和缓的口气对内莉说我们非常感谢她无偿为我提供这些草茶。她又转身从壁橱柜子里拿出几个橙子，问内莉是否带来了皮下注射器。

“带了，”内莉从身上的帆布挎包里拿出那个东西，“我这里还有一瓶麻醉药。”说着，她漫不经心地朝我这里看了一眼，“这些也都是嬷嬷们给的。”

现在，我只想控制自己别把那些刚刚喝进肚子里的该死的草茶吐出来。我坐在椅子上看着她们在那儿鼓捣那些乱七八糟的东西。但现在我知道不用担心了，内莉带来的这小瓶麻醉药并不是毒品，仅仅是一种止痛的镇静剂。因为内莉没有经验，所以她来向做过护士的艾莉请教如何进行皮下注射。她们需要先在橘子上练习注射，内莉回去才可以为皮特进行臀部肌肉注射。

艾莉耐心向内莉讲解进行肌肉注射的步骤。首先要把针头插进药瓶的软胶膜中，抽吸出定量的药水，把针管中的空气泡挤干净，然后，用酒精棉在患者要注射的部位进行消毒……

内莉双手紧握在胸前，紧张地看着艾莉把针管刺进橙子中抽出橙汁。

“很容易吧？”艾莉用鼓励的眼神微笑着对内莉示意。她又用严肃的口吻告诉内莉，“动作一定要迅速、果断。”看到内莉小学生般局促不安的表情，艾莉接着强调说，“别害怕！一点也不疼。”

“除非你戳到自己的手了。”我冷笑着补充。

艾莉对我的刻薄之言不屑一顾，然后把橙子和注射器递给内莉：“现在你来试试吧。”

看样子内莉是不可能为皮特进行肌肉注射了，因为她此时完全无法控制自己的紧张情绪，手里拿着注射器连一个橙子都不敢碰。她企求地看着艾莉，央求她亲自去给皮特注射。

后来这逐渐形成惯例，每当皮特痛到受不了了，内莉就会打来电话，艾莉便会开车到萨拉科农庄为皮特进行肌肉注射。

“看他那痛苦的样子，哎！”艾莉回到家后心怀恻隐地对我说，“他那哀痛的尖叫声就像我是在鞭打他，而不是在替他打止疼针。”

对于大多数像他一样不幸的人来说，护士就是一个冷血动物。我挖苦道，被人在屁股上用针刺来刺去的感觉和拷打可没有什么区别。我暗示她不要大惊小怪，她初为见习护士时发生的那些事不就足以让人胆战心惊嘛……

那是一个平安夜，她接到夜班护士的通知，要给外科病房卧床的每一位男性患者服用一些缓泻药，预防接下来节日里饮食变化可能带来的隐患。匆忙中那位护士只用了 Tsp 的缩写。不幸的是，值班的艾莉把一小“茶勺”的剂量看成 Tbs、一大“汤勺”的剂量。接下来严重的后果就是，那些男患者成为年轻的艾莉这次事故的牺牲品。

“你昨晚耳朵是不是火辣辣地疼？”第二天早上，当艾莉走进病房的时候，那些病人咆哮地冲她叫喊，“最好是这样！不然我们还以为是痢疾在这里暴发了！”

像往常一样，每当我提起这段往事，艾莉总是有些难为情地摇头笑笑。我知道，她可能更多的是觉得好笑，而不是惭愧。

怕内莉并不像艾莉一样能听得懂我的“幽默”，我实话对她说，尽管我还是有一些恐慌和焦虑，但是，我一定保证在这三天内按时服用嬷嬷们配制的草茶。内莉对我说，假如到那时我的病情还没有任何好转，我一定要立即去看医生，绝不能再拖了。喝过一大杯令人反胃的草茶后，我马上就觉得看医生也不是那么难以接受的事了。艾莉这个狡猾的计划成功了，而且完全用不了三天。

第二天早上，我觉得很不舒服，甚至起不了床了。后腰疼得比以往严重得多，持续不断的疼痛现在主要集结在腰的一侧。但是，由于那些不愿启齿的原因，我还是忍着，坚持不去看医生。我强迫自己再喝了些内莉带来的草茶，尽管我已经意识到自己现在的健康状况急剧恶化很可能与她们带来的这些鬼东西有关。时间一点点过去，我渐渐进入了无意识的梦乡。模模糊糊中，我好像听到格鲁乔在外面干活的声音，我分不清自己是在梦中还是真的听到了屋外的那些噪声。当我最终从梦中醒来的时候，天已经黑了。我的左腰仍旧疼得要命，就好像有人用一把快刀刺进了我的背部，滚烫的刀尖还无情地在腰间扭动搅拌着。

我从床上爬起来，几乎是用“四条腿”沿着狭长走廊挪到了起居室，每挪动一步，那折磨人的滚烫刀尖都会搅得我左腰奇痛无比。艾莉正坐在那儿看电视，看我手脚并用在门口挣扎时，她的面色沉了下来。趴在角落里的邦妮扭动着满身褶皱的身体来到我面前，抚慰地用舌头舔舐我的前额。但是，这种万分钻心的疼痛可不是靠它那善解人意的温柔舌头就能减缓丝毫的。那种疼痛比我前几天食用邦妮治疗肾脏病的药片后的疼法还要严重，也超过了我童年时期盲肠炎发作时的痛感。

“救命，艾莉。”头上流下的冷汗刺痛了我的双眼，我用乞求的语气对艾莉说，“求你了，艾莉……带我去看医生吧！”

“可现在已经是午夜了，他的诊所早就关门了啊……”

“那……那你拿刀把我的背割开，把那个恐怖的疼痛的地方挖出来吧！求你了，艾莉……我实在是受不了啦！”

艾莉觉着我不是在夸大其词。这种悲痛欲绝的神情可绝不是假装出来的。

“帕尔马。”她焦急地说，“你还能再坚持一会儿吗？我马上开车去帕尔马的医院。”

“太远了！”我倒抽了一口冷气，艰难地说道，“佩格拉，只有十分钟的路。在主街上有夜间诊所。”

佩格拉是一个著名的度假胜地，那里住着许多德国人。我想这下可不用再去说什么倒霉的西班牙语啦。

“怎么啦？”在我走到诊所门口时，看到我惨白的脸色和被疼痛折磨得扭曲的脸颊，医生马上站起来用德语关切地问道。他扶我靠在一张给病人做检查的床边，示意我躺好，用德语问：“哪里疼？”

我所掌握的德语单词也仅限于用来点啤酒和香肠。此时这个医生问的这句话我完全听不懂。迟疑了一会儿，我在心里对自己说：没办法了，这还不如我说西班牙语来得快。最后我还是决定用西班牙语回答他的问题。

“肾，”我指着后腰用西班牙语嘟囔着说，“疼……特别疼。”

经过一阵戳弄和检查之后，医生的眼中掠过一丝威严，他严肃地看了看我，转身走近靠边的一个橱柜，然后又回身走到我身边说：“把袖口卷起来。”他没有说要给我注射什么，只是告诉我放松躺着。突然间，我的疼痛减退了许多，仅仅几分钟的工夫，我就感觉好多了。事实上，我觉得自己已经完全恢复正常了。那种难以忍受的焦灼疼痛和精神上受到的痛苦折磨好像已经远走高飞了。此时，医生眼镜后面的双眼才露出了欣慰的笑意。艾莉此时也快活地笑了。哈哈！我没事啦！哇……

医生告诉我说刚才那一针只是暂时的止痛剂，只能帮我暂时缓解疼痛。他说我必须拍一张X光片才能最后确诊，现在我需要马上回家休息，明天一早一定要联系我自己的医生。但是我一点不想睡觉，甚至想去夜店嗨一晚呢。回家的路上，我的心中不时涌出一股股幸福的暖流，仿佛孩子般兴奋地想唱歌跳舞。我嘴里“啦……啦……啦……啦……”情不自禁唱着《雨中曲》中吉恩·凯利的“幸福的生活又回来啦”，尽管此时佩格拉并没有下雨。艾莉尴尬地跟在我身后，路旁几个度假的德国人被我搞得不知所措——我像苏格兰除夕夜晚传统习俗中的孩子一样，边跳边唱地和他们握手亲吻。假如此时有警察的巡逻车路过，他们一定会误认为我是在酒后闹事而对我进行纠察审问。

第二天早上醒来时我把昨晚发生的一切忘得一干二净。我一点也记不起昨天去佩格拉看病的经历以及在马路上狂喜的情景，甚至完全忘记了那痛苦的病痛带给我的几乎绝望的心情。

吃早饭的时候，艾莉递给我一个信封。“这是佩格拉那位医生给你的诊断。早上见到‘耶稣’医生的时候给他。”

赫苏斯·洛佩斯·别霍医生的诊所位于安德拉奇港口附

近临海半山坡上一条很窄的小路上。我把车停靠在诊所门前，抬头望了一眼这个美丽海湾港口山坡上并不起眼的小小诊所，一种惆怅和忧伤的情绪占据了我的心头，尽管此时我背部的疼痛已经因昨夜注射过的麻醉药而有所减缓。

穿着灰色西装的赫苏斯医生走出诊所迎接我。他看上去四十来岁，修饰整洁的胡须显得很干练，慈悲的目光以及优雅的笑容就像他与耶稣相似的名字一样，让他看起来犹如油画中耶稣基督殉难时的样子。的确是这样，他的谈吐中也带有牧师般神圣的意味。

“真是奇迹啊！”他看完佩格拉那位同行写的病历后说道。

是啊，我自己也觉得这的确是一个奇迹，是不幸中的万幸。此时一股暖流涌上我的心头，假如我的西班牙语词汇量再大一些，我一定要告诉他那天晚上在我痛苦万分的时候，耳畔真的听到了神的呼唤。

赫苏斯医生对那天晚上发生的事情的判断还是很准确的。使我吃惊的是他那混杂着西班牙语腔调、不是十分流利的英语表达完全能够使我听明白他的意思，就这样，我们在一种十分融洽的气氛中用不尽相同的西班牙语毫无障碍地交谈着。

他告诉我说现在最关键的是需要做一个检查来判断是什么引发了我的病痛。他说肾功能的损伤不是偶然。他让我先在他这里抽血做一个血样，然后自己把尿样装入一个无菌容器，他说这种无菌容器在任何一家药店都可以买到。最后他建议我自己拿着这两样东西去帕尔马的研究室进行化验。

非常幸运，我十分顺利就把这两个需要进行化验分析的小样送到了帕尔马的实验室，因为几个月前我也曾到过这家实验室。那一次是根据兽医的要求为我们家邦妮到此送需要进行化验的小样。我知道这里系统严密，效率很高。

没想到为邦妮做的这点事还为我自己提供了一定的方便。在拿到这两份化验结果返回赫苏斯医生那里之前，我试着自己解读这些检查报告，但那些医学术语及具体数据可不是我这个外行人就能读懂的，最终我只能放弃了这个想法，来到赫苏斯医生的诊所。

看见赫苏斯医生的笑容，我知道这下我可以放心了。他说检查结果证明我的肾脏没有受到任何感染，也不存在结石。他肯定地说检查报告上的数据表明我的肾脏完好无损。突然，他微微地点着头，用食指指尖在一个数据上轻轻划过，然后问我："你平时喜欢什么酒？"

随遇而安、逍遥自在的天性使我此时正陶醉在一种无以言表的幸福快乐中，听到他这么一问，我看了看表——九点钟——这个时间喝酒实在是……没想到赫苏斯医生会在此时说出这样的俏皮话。我低下头来偷偷扫了一眼他刚才用手指划过的地方——"肝脏"。哎哟，看来此时要喝上一杯是不太可能啦！

“葡萄酒？”赫苏斯医生问道，“我猜你平时喜欢喝葡萄酒？”

“是的，是的，我偶尔会喝上一杯葡萄酒，”我漫不经心地说，“一般来说我不碰烈性酒，平常只喝啤酒，尤其是夏天天气很热的时候，或者……”

“好的，好的，”赫苏斯医生打断我说，“那么你一天能喝多少葡萄酒？”

听到他这么问，我立刻有些坐立不安，心烦意乱，抓耳挠腮，不知所措。他问道：“那么你一天能喝一升……或是再多一些？”

他的这些话让我觉得自己就如同一位哲学博士在答辩，容不得半点马虎。“很少，”我回答说，“肯定没有一升！”此时，我必须表现出自己品行良好。

赫苏斯医生合上我的病历，然后站起身握着我的手说：“没问题，一切都好！”他微笑着说，“每天要少于一升，这样对你没有坏处。但是……”他强调说，“一定记住得像我们西班牙人一样。”他说这些话时的表情既不像是在开玩笑，也不像在有意安慰我。

“什么？”我起身问道，希望他的这些话里没有别的意思。

“我是说你在喝酒的时候啊，朋友……”他显得有些犹豫，刚才面容上的微笑被紧蹙着的眉头驱散。

“是的，是的，你说？”我有些急促地追问道，“当我喝酒的时候……”

“一定要记住，喝酒的时候要吃一些东西，哪怕只是一些橄榄或是杏仁。”

我松了一口气说：“没问题！赫苏斯医生，我一定会注意的，喝酒的时候要吃一些东西。”我很有信心地向他保证。

他走到门前替我打开房门，然后又对我说：“有些食物，你知道，可以过滤，就是说保护你的……你的……”他停顿了一下，用手指了指自己肝脏的位置，接着说，“嗯，这个器官在英语里怎么说？”

“牛肚。”我说出了霍尔迪之前的口误，不经过大脑就脱口而出了。

赫苏斯医生向我点点头说：“是啊，可以保护你的……你的牛肚。”他笑了笑又说，“谢谢你！牛肚！我记住了这个单词，以后再有病人出现这方面问题的时候，我就可以用上这个英语单词了。”

得到健康证明，我满心欢喜地回到了家。但是，我很长一段时间都不想再来这儿了，毕竟我告诉了医生一个错误的单词。或者，我希望他能马上忘掉这个新单词。

走出诊所时，我问赫苏斯医生为什么我刚来的时候他对我说我的病痛能突然恢复是一个奇迹。他的解释让我莫名地大失所望。他说假如肾结石的确存在，而且大小不超过米粒那么大，通过大量饮水，有时候表面看来或许会奇迹般消失，患者甚至都不会觉察到。

我宁愿相信那石头如霍尔迪描述的像“鹅卵石”那么大，而且嬷嬷们那些超能力的东西切实地派上了用场。可以肯定，这块折磨人的东西不会比一颗沙粒大。也许艾莉的形容更准确一些，我就是个对疼痛很敏感的人，就像皮特一样！

艾莉说我不应该把赫苏斯医生的话误读为每天饮酒的限量是一升。还有，霍尔迪所说的马略卡的水会置人于死地这句话，也只是一个夸大其词的表述。因此，我决定把饮酒和喝水的定量限制为一半对一半。作为进一步的预防措施，我严格服从赫苏斯医生的嘱咐——喝酒时一定要吃东西。另外，更要服从艾莉护士随时的叮咛和指教。

迄今为止，饮食疗法一切正常。而且，我现在也开始适应橄榄和杏仁之类的东西了。

7

成人版学校午餐

我们搬来马略卡以后，艾莉特别喜欢寻找一切可能的机会到外面吃顿饭改善一下生活。自从我那恼人的肾病之后，也就只有她的这一喜好才能够让我兴奋和快乐了。一个星期六中午，孩子们各自忙着自己的事，艾莉建议我们俩开车到帕尔马兜兜风，顺路在外面吃一顿午餐，然后再进城趁着商店下午开门的时间逛一逛。其实我对艾莉的第二个建议根本不感兴趣，但是为了能够开心地品尝一顿美食，我宁愿牺牲一些自己的时间。

如果说今天的天气状况有什么好说的，那就是今年风和日丽的一月份已经过去了。在这里，每年一月的天气都相当舒适，暖洋洋的太阳照射着蔚蓝的天空，清澈透明，湿润的空气中带着地中海微风吹过的淡淡清香。可是，只要过了一月份，温度就会马上出现一些变化，不合时宜的暖流或是低温的冷风常常会交替出现，有时一天之内的温差也会很大。当我们离开安德拉奇隘口的时候，北边天际科斯塔纳摩拉山脊顶端，白浪般的云朵缓缓飘过天空，渐渐低垂下来的云雾笼罩着山脊陡峭的切面，这情景让我联想到偏远的苏格兰高地细雨蒙蒙的峡谷中云雾缭绕的风光。

最近温和天气的影响显而易见。在距帕尔马十五公里左右的这段高速公路上，中央分隔带之间郁郁葱葱的夹竹桃灌木丛预示着春天即将来临，嫩芽已经在兔子耳朵一样的叶子中间萌发，丰富多彩的绿色预示着渐入佳境的马略卡即将迎来繁忙的夏天旅游旺季。各种鸟儿轻快地来往于公路两旁的树丛中，叼啄着树的枝叶，在这旺盛的繁殖季节筑巢。动植物本能地预告着季节变换，大自然的气息及时呼唤新的季节来临。

沿着公路右边不远处，突然出现了本迪纳特城堡的轮廓。这是 1229 年阿拉贡信仰基督教的国王海梅一世结束三个世纪摩尔人的统治而赢得战争胜利的要塞重地。当时国王的军队获胜后在此安营扎寨庆祝胜利，尽管没有狂欢没有酒宴，可是国王最后还是用加泰罗尼亚语大声宣告“我们吃得非常好（Bé hem dinat）！”，或许城堡（Bendinat）就是由此得名。

沿着城堡下方不远处就是宽阔的帕尔马海湾大道。海水的颜色在阳光映照下由浅蓝渐变成深暗的色调渐渐远去。是的，地中海美丽如画的景色已经映入眼帘。

两棵高高的棕榈树在远处地平线上渐渐露出来，中间一艘航行的游轮在远方的帕尔马港口威严地喷吐着蒸汽。停靠在岸边的各式游艇交相辉映，船身和桅杆在海水的摇荡中咯吱咯吱跳着舞蹈，勾画出一幅别样的景致。难道还有什么地方的灰白色可以比这里的更丰富吗？还有哪儿的饭店能够比得上港口海湾大道上的这些呢？

热亚那村就坐落在帕尔马西海岸的纳布尔格萨山上，这个由棕榈树环绕的海湾山坡上的美食可是享乐主义者不能错过的。散落的农舍点缀着通往地下洞穴的风景。现在，这里已经迅速发展成一个活跃的居民区，一条街上几家名声在外的酒吧饭馆是食客们品尝美味佳肴的天堂，当然这也是热亚那最引为自豪的事情了。靠近帕尔马公路北端红绿灯交界处的大街是游客们最喜欢光顾的餐饮区。过了十字路口的三家饭店，走到路尽头停车场边上，闻名遐迩的佩德罗饭店是我们经常光顾的地方。

过去的三年间，佩德罗·埃斯特万先生把这家小店经营得红红火火，现在这里已经成为远近闻名、名副其实的招牌饭店。实际上，在不远处的半山腰上，第二家佩德罗饭店已经开张，那里的环境和格调更轻松，更有乡村感，并且绝对保持了传统的马略卡烹饪手法和特点，这些传统菜肴正是佩德罗成功的原因所在。佩德罗兄弟二人继承了家族优秀的经营手段和经济头脑，弟弟哈辛托同样在此地经营着两家生意兴隆的西班牙传统风味饭店。据说在热亚那附近大约有十七家餐饮店在他们名下，他们立志还要继续发展壮大自己的家族企业。

我们最开始也是通过美食家乔克·彭斯的介绍才了解到这家既经济实惠又具有马略卡传统特点的风味饭店。我们决定今天就去那家最早的小佩德罗饭店。在这样一个阴天，佩德罗饭店会给你一种迷人的舒适感，尽管从外表很难看出这一点，但一旦走进来，你就会被一种毫无矫饰的热情好客的气氛感染。

长长的吧台把饭店分成两个餐厅，一个巨大的炭火烧烤架可供食客们自得其乐地享受自制美食的乐趣。幸运的是我们一点半就到了这里，按照西班牙的午餐时间，现在似乎还有点早，所以，我们可以自由选择好一点的就餐位置。身材矮小、梳着油光水滑头发的佩德罗先生从吧台后面走出来，亲自把我们引到一个靠近炭火架的餐桌旁。

“女士，”佩德罗面带微笑非常客气地对艾莉说，“在这么恶劣的天气您或许该坐在温暖点的位置。”

自从搬来马略卡，已经过去了十五个月，我们对气温的一点点下降都会出奇敏感。尽管马略卡的冬天还没有完全过去，但是，今天在雾气缭绕的山中，天气还是异常温和，比苏格兰夏季常有的那种迷雾氤氲、略带寒气的天气都要温和许多。我们强壮的体魄到了这里都养得娇弱了起来，但我们觉得并没什么好羞愧的，有这个变金贵的机会我们很开心！我坐到座位上，听着身边炭木燃烧后噼噼啪啪爆裂的声音，眼睛不禁环顾了一下四周。

幽暗的墙壁显然得益于炭火常年熏烤产生的烟气，结实的红木餐台上陈列着价钱不等的火腿，各式猪肉腊肠像钟乳石一样悬挂在餐台四周。这些四处挂着、陈列着的火腿及腊肠可以说是佩德罗饭店最值得炫耀的东西啦！假如你有机会来这个餐厅就餐，一定要尝尝西班牙的顶级火腿，食材是一种常年散养在西班牙大陆南部山区吃橡树果实的伊比利亚黑猪，腌制后，肉质醇香浓郁、滑嫩柔软，绝对是上好的美味佳肴。

但是，对于大多数食客来说，还是个人口味比较重要。如果在帕尔马，你最好还是到一些古老的熟食店去品尝典型的西班牙食品，当然最好的一定是圣尼赫鲁大街四号的领结食品店，这家熟食店位于伯恩大街和梅尔卡特广场之间迷宫般的狭小街道中。

或者，就像我们今天这样。在西班牙，任何一家饭店或酒吧都会陈列各式各样的火腿和腊肠。作为开胃小菜，你可以点一片店中最好的品种尝一尝，然后再来上一片梅诺卡岛生产的奶酪。

饭店的另一面墙上，为配合饭店里售卖的猪肉产品，佩德罗用一个野猪头作为夸张的装饰，四周还配有长着犄角的黑山羊标本。山羊昂着头骄傲地面对自己的命运，再看看那些野猪的表情，好像在说："该死的，假如腿脚还在我的身上，我立刻就跑回到山上去，谁他妈的还在这里受罪啊！"

"你好！佩德罗，你在这里啊？"门口传来奥布赖恩太太咯咯的笑声，她用沙哑的带有苏格兰口音的声音说道，"亲爱的，快来一个大大的拥抱吧，你的西班牙小妖精来了！"她显然是那种典型的苏格兰人粗粝嗓子，震得四周嗡嗡作响。

我向门口望去，尴尬的佩德罗·埃斯特万被一位女士公然拥抱着施以世界上最最热烈的亲吻。马略卡的爱尔兰古怪女王今天身上混搭着典型的少女装饰，这位就是查理校友德卡的妈妈科尔。可是，就是这样一身混搭的少女服饰也没有湮没她身上的贵妇气质，她不能容忍自己随随便便穿戴，如她自己所说，像"一个普通如土豆的爱尔兰老妇女"似的。据她的丈夫——瘦高个子的享乐派人士——肖恩先生说，为了这些混搭服饰，她可是下了不少功夫啊！多莉·帕顿是她的偶像。肖恩很了解他妻子的这身装束可不是便宜货。

她今天的这身装扮实在是够刺激的——彩虹条纹的阿拉伯头巾将她那一头漂染成白色的蜂窝头发包裹起来，一件点缀着貂尾的白色貂皮斗篷，搭配塞进翠绿色裹腿靴中的猩红色牛仔裤，那双靴子的外面垂满流苏般的穗饰。肖恩随后也跟着妻子走进了饭店。

“上帝啊！真的是你们吗？”见到我们，她大声叫道，“真是太巧了！”

“好好的一顿闲适、安静的午餐……哎！”我小声对艾莉说，然后起身准备接受刚刚如佩德罗一样那突如其来的狂吻礼节。

尽管她的身材消瘦，但这并不影响她狂热的拥抱。她一把搂住我，两只胳膊像蟹钳一样用力锁紧我的身体，此刻，我实在是有些担心我的肋骨。然后，她的双手滑到我臀部用力抓了几下。“这肌肉可是真没话说啊！”她在我的耳旁轻声说道。

一阵哈哈大笑之后，她转向艾莉说：“嗨，看到你们真高兴！”她一边说一边习惯性地眨了眨一只眼睛做了个鬼脸，“哈哈，你的男人可真是不错啊，他知道怎样哄你高兴，嗯？”

又是一阵咯咯大笑。她总是这样充满活力。

一股浓烈刺激的香水味从她身上散发出来，她就是喜欢这种浓烈的气味，就如同她的热吻一样。

“我的生日！”她笑着说，“噢，是昨天，对！我昨天晚上举办了一个热闹的生日聚会。”她又眨了眨眼睛，然后轻声说，“今天仅仅是一个小小的延续，你明白我的意思吧？”

肖恩走过来和我握握手，含含糊糊地说：“乔治，很高兴又见到了你们！”看样子，他的酒还没有完全醒过来，目光痴呆，半睁半闭着眼睛接着说，“怎么……嗯，你们的鸵……鸵鸟生意怎么样啊？”

很显然，他现在还不清楚我到底是谁，我这一生中可是从来也没有靠近过鸵鸟啊，但是，我任凭感觉满不在乎地说道：“很好啊！谢谢你。”他神情茫然地笑了笑，拍拍我的肩膀，连续打了几个嗝，就迈着蹒跚的步伐走到吧台附近要一杯解酒的饮料去了。

尽管他们这一代现在可以尽情享受生活的丰富资源，但实际上这一切都要归功于肖恩过世的父亲。这位精明的生意人把家族企业从点滴做起并发展壮大，最终为后代种下参天大树。肖恩家现在位于马略卡西海岬陡峭山坡上的巨大豪宅绝对是好莱坞明星级人物才可能享有的财富，从设计到装修全部都是在肖恩这位身为混搭高手的妻子指挥下雇用世界级大师完成的。

自从在查理的学校结识德卡的父亲肖恩和混搭高手母亲科尔之后，艾莉和我曾拜访过他们那超级巨大的豪宅。尽管我们都是外来移民，但他们的精神追求和奢华的生活方式绝对和我们这些普通老百姓有着天壤之别。

我们知道查理的学校生活无意中让他迈入了上层社会的社交圈，这是很自然的事情，因此，当我们看见查理和奥布赖恩家的一群孩子一起走进佩德罗饭店时并不感到吃惊，显然，就像平常周末一样，查理又去他们家过夜了。先前，我注意到餐厅一侧已经整齐摆放好一排长长的桌子，开始我以为或许有婚礼将在此举行。但是，当乔克·彭斯和他的妻子梅格跟着奥布赖恩家的孩子和查理后面走进餐厅的时候，我感到很意外。我想大概乔克被邀请参加了德卡妈妈昨天的生日聚会，然后今天又来这里参加被德卡妈妈形容为“小小”的后续餐宴吧？他一进来马上就开始张罗安排聚会来宾的座位，我知道乔克擅长做这方面的事，他还经常为学校学生的餐宴聚会做组织宣传工作。

“你们也一起来吧，”科尔告诉我们，“你们孤零零坐在这儿像什么话呀！”

艾莉本能地解释道：“没关系的，我们喜欢这样。我们先在这里吃点快餐，然后还要进城逛逛呢。”

“别走啦！”科尔不耐烦地说，“今天是星期六，多数商店下午都休息，到周一才开门。”

艾莉一脸不高兴，我可是很开心。其实我们两个真的都忘了周六下午商铺休息这件事。

“噢，亲爱的，真惭愧，”我说，“多亏科尔提醒，不然我们还真要跑一趟冤枉路呢。”

艾莉没说什么，但她的脸上写满不快。除了失去逛街的乐趣之外，她还不知道这个聚会要到几点才能结束，她对这样的聚会一点都不感兴趣。

乔克不久就看到了我们，“噢，你们在这儿真让人高兴。”

他说着叫我坐到他身边。然后他说："艾莉，亲爱的，你和梅格坐在一起。查理，"他喊道，"你，还有其他孩子坐到桌子尽头的拐角处。接下来，忘了学校那些该死的礼节和规矩吧！你们可以尽情欢乐啦。"

乔克说完又径自继续安排其他座位，查理和德卡在他转过身后冲他做了些不太友好的手势，然后低声嘟囔着表达不满，但不管多么勉强，他们像执行学校守则一样按照乔克的指令坐了过去。但是，其他一些年纪更大的宾客却没有听从他的命令。

被邀请的客人渐渐到齐了，很快，奥布赖恩家聚会餐桌上的人数就大大超过了邻桌一家西班牙人的聚会。邻桌嘈杂的嬉笑和欢闹都快把房顶掀起来了。西班牙人偏爱这种家庭聚会形式，这是他们的习俗，谁也无法干预。但是，奥布赖恩家这边的兴致也是不可阻挡的，凯尔特人的狂热和野蛮是无可限量的，作为主持人的乔克再三阻止都无济于事。大家对于乔克精心安排的座位极为不满意，最终在一片嘈杂声中，他只好放弃这个任务，去认真安排食物和饮品了。

他几次站起来敲得桌子砰砰响："嗨，大家注意听着！"他大声喊，"好啦，我建议咱们一起吃点儿……"

"闭嘴吧！"科尔大声朝他叫道，"让我们自己看菜谱吧！"她抓住其中一个侍者的胳膊。

"现在开始吗，女士？"侍者问道。

“杜松子酒，”科尔告诉他，“加冰块和柠檬。嗯……还要一瓶奎宁水。”

“给我也来一样的，朋友。”肖恩笑着点头道。可是他担心那位侍者理解错了，指着他自己的杯子又补充道：“请再来一份，一样的。”

很明显，奥布赖恩家的这两位家长没有学会多少他们现在赖以生存的这个国度的语言。“不用怀疑，金钱最有发言权，”他们的理论是钱能堵住别人的嘴巴，“假如你多塞点小费给那些服务员，像喂驴一样。哼哼……”他眨眨眼睛说，“进出饭店就是你的自由啦，嗯？”

尽管乔克一直都在尽职尽力地维持秩序，但是大家的情绪持续高涨，点菜叫酒一片混乱，没有人理会他在那里说什么。查理趁机离开角落的座位，笑着向我们走过来。

“你们在这儿可真稀奇！”他说。

虽然艾莉看到查理和奥布赖恩家的那群孩子一起走进饭店时并没有说什么，但我知道她对像查理这么大的孩子过早接触社会感到很不愉快。

“我希望你昨天在德卡家里没有乱来。”她留意着查理的表情说道。

查理很清楚妈妈的意思。“没问题，老妈，”他笑着说，“其实德卡家的人也不总是这样的，他们这是因为生日聚会才狂欢的。德卡的妈妈五十岁了，原谅她这些不拘小节的表现吧，嗯？”

“哼！好吧。你在这里要小心一点。”

查理咯咯地笑着说：“知道啦！你就不用担心了，老妈。我们其实并不喜欢那种热闹喧哗的聚会。”

艾莉好像抓到了把柄，“你的意思是说，”她的声音里带着些许恐慌，“你是说德卡和你昨天晚上没在他们家里？”

查理笑着说：“你是问我和德卡昨晚是不是开着车去提托斯夜总会了？”

艾莉此时和我一样，并不完全相信他现在只是在和我们开玩笑。听查理这么一说，她更是紧张不安地说：“不，不是那个意思，我是说你……你们……”

“嗯哼？”看样子查理是故意想让他妈妈着急。

艾莉现在也不知该怎么说，所以还不如直接问他了：“我是说你们昨天晚上真的去夜总会啦？”她还是想和他讲道理，“你知道，查理，你们才刚刚十三岁，还不到去那种地方的年龄，那儿也不是你们该去的地方，而且那也需要花很多钱，所以我希望你不要这么做。我不想德卡父母觉得我和你爸爸是小气鬼。我是说，假如我知道你帮着德卡隐瞒事实开走他家里的车……德卡可是没到法定的开车年龄啊。所以，嗯……”

查理举起一只手，向交通警察一样做着手势，“停一停，”他一本正经地说，“女士，你超速了，慢点儿说。”

艾莉看着他，忧虑迷惑，不知所措。

查理笑着安慰妈妈说："老妈，德卡和我昨晚一直都在他家里和他哥哥玩斯诺克，看影碟，玩电子游戏，别担心了。"

艾莉怀疑地看着他说："玩斯诺克？可是科尔的聚会不是在游戏室进行的吗？告诉我他们的聚会是在哪儿举行的。"

"昨天晚上的聚会不是在他家里举行的。"查理说。

"真的吗？"

"真的，"查理耸耸肩膀，"他们是在酒店办的。索恩维达吧，对，是的。"

但是，艾莉仍旧不相信他的话，"你说你们看影碟了？"

"影碟？"查理想了想问，"影碟怎么了？"

艾莉烦躁不安地说："好啦！我，你知道……我希望你……"

"三级片！"查理偷偷地笑着说，"你是问我们是不是看色情影碟啦？"

我觉得此时该把艾莉从这尴尬中解救出来。"查理，"我说道，"你的母亲没有指责你任何事情，她——我们——我们只是觉得你应该注意点，就是说当我们不在你身边的时候你也要好好表现。"

"没问题，老爸，"查理咧嘴笑着说道，"这些我都知道，你们放心吧，"他淘气地眨眨眼，"我以前也不是没参加过这样的大型聚会，嗯？"

"听着，查理，"我说，"好好吃饭去吧，不然乔克老师要来揍你了。”

查理点点头离开了，可是，没一会儿工夫他又回来了。他说：“噢，对了，顺便说一下，老妈，我和德卡去帕尔马时借用了他哥哥的摩托车，我们不开他的那辆奔驰车。”他又朝我眨眨眼睛使了一个眼色，这一次他有意表现出很诚实的样子，“两个轮子的摩托车要比四个轮子的更酷！”

“告诉我，彼得，他是不是在开玩笑？”艾莉抱怨道，“他是在开玩笑吧。”

“你的查理和奥布赖恩家的小孩做朋友是很明智的。”乔克大声说道。现在，由于大家都各自开始品尝美味佳肴，所以他也坐回到他自己的座位上来了。他用浓重的苏格兰口音说道：“是啊，奥布赖恩家的孩子个个都很棒！”他一边说一边拿起橄榄油瓶轻轻往一片干硬面包上点了几滴，然后把番茄切成两半，拿起其中的一半对着那片面包来回拖着挤出番茄汁，“自从搬来岛上，他们在学校可是从来都没惹过任何麻烦，绝对都是模范学生。”

艾莉清了清嗓子说：“是啊，嗯，”她犹豫了一下，然后接着说，“你，嗯，你是说德卡不会做坏事，比如说不到年纪就无证驾驶之类的咯？”

乔克用叉子叉起一块凤尾鱼，看了一眼艾莉说：“你是说他开车？”

“是啊，你知道——说不定偷偷开着一辆他家里的车出门，趁他的父母——他们——”

“趁他们上厕所的时候？”乔克说。

艾莉不解地说：“我知道你不相信，可是，我——”

“听着，艾莉，”乔克打断她说，“我知道你要说什么了，不过，相信我，虽然奥布赖恩一家乐于聚会欢乐，可是他们却从不忽略对‘小壶盖’的教育。”

“小壶盖？”

“就是孩子们。”乔克啪的一声往嘴里扔进一颗橄榄，“对，你不懂，这是俚语。”

“他说得没错，亲爱的。”梅格在一旁补充说，“他们可是教育专家，相信我吧，亲爱的，两个孩子绝对没做出格的事。”说着，她从桌上长长一排各式各样的酒瓶中选了一瓶倒进杯子，“未成年人开车？”她伸出两根手指在艾莉的眼前晃了晃说，“他们不会的，亲爱的，放心吧！这是事实。”

“是啊，开车不算什么大事，你最好相信这是事实，艾莉，顺便说一下，”他拿起一只蜗牛，用牙签挑出里面的肉，蘸了蘸碟中的蒜味蛋黄酱，“他们绝对是称职的父母——奥布赖恩夫妇，而且绝对是顶级的聚会东道主。”他随手抓起一瓶红酒给自己斟满，然后举起杯子在空中摆了摆，对着全体参加聚会的人大声说道：“干杯！为了科尔！为了她五十岁的生日！”

可是，大家都在忙着聊天、喝酒、嬉闹，没有人理会乔克说的话。

“一群白眼狼，没良心的！”他自言自语道，“都在这里白吃白喝，纵酒狂欢，怎么就像那些秃鹰见了尸体一样！”他把酒杯放在桌上又倒满一杯喝下去，然后狼吞虎咽地吃起大对虾，小心翼翼地吸吮着每一滴流到手指上的汁液。“过来，小子，”他用胳膊一揽，把桌上那一排各式酒瓶推到我面前，说：“把握机会！在这帮贪得无厌的家伙尽兴的时候一定要有所收获啊！”

很快，烧烤架子上的那些羊腿、羊肘、小牛蹄、牛里脊、鸡胸、嫩兔肉、乳猪、排骨、猪腰子，还有数不清的各式各样的鱼肉、大盘大盘的炸薯条以及大碗大碗的蔬菜沙拉，都被这群食客扫荡得干干净净。

下午的时光很快就过去了，现在侍者们撤下桌子上被扫荡一空的各种瓶瓶罐罐、碗碗碟碟，送上来混合了各种烈酒的咖啡。这可是佩德罗·埃斯特万特意为食客准备的餐后助兴饮品。

今天奥布赖恩家的这个午餐聚会或多或少会有人喝多，邻座的那个西班牙大家庭的聚会也是如此，但是最主要的区别在于吵闹的分贝和摄取的食物。

乔克这边嘈杂的喧闹声持续不断地上涨，取笑、嬉戏、逗闹逐渐失去尊严而近于淫猥，有伤风化。骚动和喧闹的顶点是当乔克从洗手间回来，手在空中挥动一本巨大的红色菜谱走到科尔身后的时候。

“奥布赖恩家的爱尔兰少女——妻子——母亲——小土豆般的老妇女——顶级酒鬼！”他模仿着电视节目主持人的腔调大声宣告，“这就是你的生活！”

一阵沸腾的欢呼喝彩为乔克准确的褒贬共存的形容响起来。就像婚礼当中主持人的介绍过后，今天这位风流潇洒的绝对主角科尔女士，还有她宴请来的所有食客，在乔克极富想象力的下流语言中尽情开怀大笑，声音如瀑布流水般此起彼伏。

此时我是非常冷静清醒的，一方面由于近来身体状况所限，另一方面也是由于艾莉对眼前的骚动毫无兴趣，我想除了我们二人以外，也就只有查理那边的几个孩子还没有像这些老东西一样疯狂喧闹，依然保持文雅。

尽管这些年轻孩子始终对乔克他们组织的这场类似学校食堂般喧闹的午餐无动于衷，但肖恩的一个酒友斯坦的怪模怪样却吸引了他们全部的注意力。这个斯坦可是一个出了名的喝酒好手，在肖恩烂醉如泥无法驾车的时候，这位热心朋友就会扮演起一位合格私家车司机的角色开上肖恩那辆镀金的劳斯莱斯往返于一间间酒吧。还好，这边鼎沸的喧闹和嬉笑一直没有影响饭店其他客人用餐。可是没过多久，一些过分的行为直接导致坐在邻座的一对德国夫妇大怒。一开始，奥布赖恩家这边的同伙用法棍面包屑进行“空中飞行”时偶尔“降落”在那位体积庞大的先生耳朵上时，他们还能客气地报以微笑了事。但是，当他们把一碗淡黄色蔬菜汤狂轰滥炸般“袭击”到那位先生雪白的拉夫劳伦衬衫上时，米粒、菜叶、番红花等菜汤中的“干货”与水汪汪的汤汁顿时浸满了雪白的前襟，那个经设计师精心设计并引以为豪的马球商标上也被特殊的“飞行物”光顾了，一片湿漉漉的野生菌以及一粒法国青豆悬挂在了马球杆上。

“老天爷！”那位先生暴跳如雷，“我的衬衫！”

艾莉低声给我翻译。

艾莉出生在德国，直到五岁才与父母移居到英国生活。尽管她说她基本上已经把母语忘光了，但是，到了关键时刻，她时常都能贴切地准确表达出她想说的意思。

他的座位上一片狼藉，这位被偷袭了的德国先生选中了斯坦作为始作俑者来兴师问罪。

“他说，傻瓜，笨蛋，蠢猪，鲁莽的野孩子。”艾莉的声音在我的耳边呼啸。

斯坦困惑不已，一个字也没听懂，虽然他清楚地知道那个人是在骂他。不懂德语的其他人也都在一旁困惑地大眼瞪小眼，但大家都知道这些不敢恭维的话语都是射向斯坦的。

“笨手笨脚的英国傻瓜！”被激怒了的德国人一个字一个字地说，一边低头摘掉身上那些飞来的横祸。

艾莉解释着：“好像是笨手笨脚的意思。”

此时，所有人，当然包括斯坦，都清楚地听出了他最后的“英国傻瓜”！

“过来，蠢货！”他咆哮道，“说谁是英国傻瓜呢！我是威尔士人！”

斯坦一脸无辜，表现出被羞辱的样子，挺直腰板，深深地吸了一口气，一副十足的将要为国出征的橄榄球手架势。

“我他妈的把你扔出去，埃里克！”他冲着那位无端受害的德国人大声叫道。随着这一声公开邀请，他们这场战争似乎要转移到外面的马路上进行。

斯坦的狐朋狗友在一旁兴奋地为斯坦的勇气助威，但当埃里克先生起身离开自己的椅子时，所有人都惊讶地张大嘴——斯坦简直就是汤姆拇指上的小矮人——埃里克可是名副其实的德国巨人。

整个饭店一片寂静。

“我的衬衫，毁了！”埃里克用蹩脚的英语怒喝道，“现在这件衣服算是完蛋了！”他低下头来看看衬衫，然后用手抻了抻衣角说，“你说怎么办吧？”

斯坦面无血色，刚才的那点勇气瞬间全无，“对不起，”他哽咽地央求道，“但是，嗯，那的确不是我干的。”

“什么？”

“那……那不……不是我……”

斯坦的话音未落，挥舞过来的拳头把斯坦吓得赶紧捂着头闭上眼睛。

“什么？”他又重复着问道。

斯坦的表情就像墙上的野猪头。他赶紧承认是自己酿成的大错，他说他深感抱歉，但为时已晚，“这个，嗯，面包——汤——还有衬衫，”他声音颤抖地说，“但那可不是我干的。”

可是此时这胆怯、无辜、清白的请求对埃里克先生来说已经无济于事。他从桌子上拿了一杯白水顺手就倒在了斯坦的头上。他吼着：“是啊，可也不是我自己干的吧。”

“哎呀！”斯坦叫了一声，“我可不是故意的呀！”

看来现在的事态发展对斯坦非常不利。坐在窗边的肖恩摇摇晃晃吃力地站了起来，然后走过来拍拍埃里克粗壮的胳膊，微笑着说：“啊，先生，现在没有必要再追究事情的经过和细节了。”说着，他拿出自己的钱包从里面抽出几张钞票，“当然，这是一定要赔偿的，不管是谁干的。”

在我看来，此时肖恩给的钱足以买回一架子的昂贵衬衫了。然而，为了他的好友不遭受其他意外，他向门口的佩德罗示意，在情况不利的时候要及时打电话联系本地警察。

“赶快为这位新结识的德国朋友开一瓶香槟。”肖恩大声说道，“到地窖拿一瓶两夸脱最好的酒来，开杯畅饮吧！”

这位既是受害者又是受益人的埃里克先生此时满脸堆笑，他先是谢过肖恩和佩德罗，然后数了数手中的钞票，谦恭地点点头，再一次向肖恩表示了无尽的谢意。他转过脸去坐到妻子身边，最后给肖恩写下了自己的地址。

“这是我的通信地址，朋友，”他一本正经地说道，“我不叫埃里克，我叫弗里茨。”然后他咧嘴笑了笑，又说：“我是奥地利人！”

肖恩机智的应对换来一阵阵喝彩叫好，奥布赖恩的“军团”对他们主人的举措连声称道。聚会还在继续，为了庆祝这一回合的胜利，欢声笑语与美酒佳肴根本不停歇。

这个时候，科尔走过来，倾斜着身子靠在艾莉的椅子边上，用手指着孩子们的方向轻声对她说：“这就是孩子们住在马略卡的好处了！”

艾莉疑惑地问道：“对不起，我没明白你的意思。”

科尔夸张地叹了口气：“你没看出来啊，国际化、多元化的文化改变了这些孩子，拓展了他们的视野。”她回到自己的座位上，喝了一大口杜松子酒，接着说道，“啊，算了，别说这些孩子啦！”

艾莉若有所思地啜了一小口水，梅格用胳膊肘轻轻碰了碰她严肃地说道：“看，我怎么说的，她始终都离不开孩子的教育话题。”

然后，梅格起身与乔克一起拍着手绕饭店走了一圈，其他人也都报以热烈的掌声。我终于明白了，此时乔克夫妇是在利用十分舒畅愉快的气氛，趁那一对说德语的奥地利夫妇还没有离开之前，为他们将要举办的“彭斯之夜”进行募捐。

“我怎么说的来着？小子，把握机会！”看样子乔克是准备从那对夫妇那里谋利啦，“这是在岛上生存的不二法则，怎么样，”他得意地笑着说，“这回你该相信了吧！”

梅格跳着康加舞跟在乔克身后，享受着狂欢的心情。“是啊，打铁趁热——现在正是时机啊！”她咯咯笑着，晃动着手里拿着的“彭斯之夜”入场券。“机不可失，时不再来！”她大声宣布，身上那件五颜六色的土耳其长袍在她跳动的舞步下翩翩起舞，如同远航帆船飘动着的风帆。

艾莉安静地观察着这里所发生的一切，然后用哲学家一样的目光看着我说：“哼哼，只能说蛇鼠一窝，沆瀣一气吧。”

8

社会的“蛇梯棋”[1]

虽然我们对于科尔·奥布赖恩关于马略卡国际化生活能够拓宽孩子们视野的观点还不能完全苟同，但我们也非常清楚，对于她和她的子女们来说，马略卡的生活的确让他们从中获益不少。尽管我们也看到在佩德罗饭店的聚会上她孩子的文雅表现的确如乔克形容的那样，可以称得上学校里的模范学生了，但在孩子成长期间经常让他们参加如在佩德罗饭店里举办的这种聚会，目睹成年人这一幕幕不拘小节的疯狂，又怎能使他们引以为戒，从而规范自己在公共场合的行为呢？同样的情况也发生在西班牙的孩子们身上，他们从小就习惯了家长餐前饭后的饮酒嬉闹。这种现象相对于北欧的

1　蛇梯棋：一种英国小孩玩的棋类游戏，延着梯子可前进，遇到蛇要后退。

孩子，真是有着天壤之别。两个孩子，特别是处在青春期易受影响的查理，我们还是希望他们能够用客观的态度脚踏实地地对待现实社会。

我们希望查理能够在学校里结识更多新朋友，以便更快地适应马略卡崭新的生活。但是，准确地说，在圣阿古斯蒂国际学校里，查理接触的多是富人子弟。尽管学校里孩子的家庭背景各不相同，也不乏像我们家这样靠自己的双手辛勤劳动、以此为生的普通百姓，但总的来说，查理大部分的业余时间都是和这些家境富裕的孩子一起度过的，他毫不掩饰自己对富足生活的喜爱。这就是马略卡，永远都在吸引着全世界的“梦想之岛”。

对于有钱人来说，喧闹奢华的聚会是他们生活中的一部分，他们对于这种消遣娱乐方式的开销是不会计较的，比如像奥布赖恩一家，他们慷慨大方，与人为善。有些富人还会抓住机会炫耀自己的身家。但是，生活中常常还会有一些人让人捉摸不透。一个移居西班牙的性格古怪的人——出于保护个人隐私的考虑，我们就此简称他为X先生吧——就是这样一位典型的神秘人物。

X先生三十七八岁，体格健壮，任何时候碰见他，他的装束总是完美得体、无可挑剔。他的儿子蒂姆是学校里唯一一个安静害羞的孩子，比查理小一岁，他们第一次在学校见面后就成为非常要好的朋友了，尽管或许正因为两人性格完全不同，查理在蒂姆面前完全是一副大哥哥形象。我知道假如不是因为查理结交的朋友比较多，校外的“应酬”也比较多的话，大概每个周末他都会邀请查理去他家的。

在马略卡，除了极少数几个像奥布赖恩家那样超豪华的好莱坞式巨宅，蒂姆家在索恩维达带高尔夫球场的庄园也算得上帕尔马西北沿岸地区数一数二令人羡慕的乡村别墅了。但是，X 先生缄默的个性没能让他声名远扬。或许不易公开自己的身份，他在这个地区除了富有这个特征之外，一切都不为人知。

很显然，随着时间推移，神秘面纱一定会被揭开。对于那些对一切事物都充满好奇的人来说，富人的发迹史总是等待着他们来一探究竟。

“拥有百万家产的军火商人的儿子，”梅格神秘地说，“非法移民，他们来此是为了洗钱、逃亡，知道我说的是什么意思吗？”

梅格是从美容院里的一位客人那儿听说的，这个人声称自己曾是 X 先生父母在英国的一个老朋友，但是，梅格说她并不相信 X 先生来马略卡之前身无分文，是一次抽奖中了头彩后才搬来这里的。后来，梅格的另一位客人证实 X 先生的确是伦敦社交界的显赫人物，尽管这位妇女仅仅是伦敦名流显贵各种聚会派对中一位媚上欺下的侍者，用梅格的话来讲，她不过就是一个下贱的端茶倒水的人。不过，梅格断定X先生是一位非同一般的人物。

所有这些关于X先生靠军火起家的谣言很快就被四处传播，愈传愈神秘。

"大家都说蒂姆的爸爸是一个出了名的大毒枭，"一天下午在我接查理放学回家的路上他告诉我，"他的车上有左轮手枪。"他怕我不相信，接着补充说，"我都看见了，不是开玩笑！"

我疲惫地摇摇头："是啊，是啊，查理，这就像你和德卡周末开着奔驰车飞驰在车水马龙的高速公路上一样，嗯哼，我知道你的想象力很丰富。"

出人意料的是，查理没有继续谈论这件事。

蒂姆的母亲是一位非常谦和优雅的年轻女士，一脸羞怯，漂亮的脸蛋上总是带着一种紧张畏惧的表情。她和蒂姆一起请求我们允许查理星期六晚上在他们家过夜，在我们即将分手道别时，我们非常高兴地接受了这个邀请，我告诉她查理与他们在一起一定会十分愉快。查理以前就去过他们家几次，他形容"蒂姆家是超豪华五星级酒店的水平"，与奥布赖恩家随和舒适的氛围不同。在蒂姆家有一种奇妙的感觉，那里就像一个设施一应俱全的成人游戏"围城"，但是撤掉了让人快乐的电源。这是因为X先生总是沉着脸不高兴的样子，查理说，他浑身上下全都是世界顶级名牌服饰，拥有从豪华配置的轿车到最昂贵的瑞士手表和意大利手工皮鞋，他也只在自己家的游泳池和高尔夫球场运动，在自家豪华的按摩浴池中沐浴，偶尔一个人离开也只是去谈生意。是的，这些就是他的全部生活。他好像从没有体验过什么是快乐，总是有沉重的压力压得他透不过气来，这样的消沉和沮丧充斥着豪宅的每一个角落。

艾莉第一次也是唯一一次遇见 X 先生是在那个星期六的早上，他到我们家来接查理，他把他那辆宝马敞篷车停靠在我们家的围栏外边，坐在驾驶位上反复按着喇叭等人出来。查理第一个看见他们，高兴地跑到院子里去迎接他的小伙伴，邦妮汪汪地叫着跑在他前面，等着查理上车后能够与他一起坐到后座上。和所有狗一样，邦妮总是喜欢坐到车上与人同行，它可不管车的主人是不是欢迎它。

“把你这条讨厌的脏狗带走！”艾莉刚刚走出房门就听见 X 先生严厉地对她说。

其实，艾莉出来只是为了礼节性地打个招呼做个自我介绍，感谢他们邀请查理去他们家做客而已，没想到使她尴尬的是，在自家门前还要为了一条宠物狗冲动的本能行为道歉。

“讨厌的畜生！看看你对我的皮垫子都做了些什么！”很显然，X 先生完全不理会艾莉伸出的橄榄枝。

艾莉边说边把邦妮从车里抱出来，然后亲自检查看看座位有没有刮痕或损坏。在X先生狂躁的抱怨声中，艾莉仅仅在奶油色的真皮座位上发现了一处甚小的泥迹。这对别人来讲简直就是不足挂齿的一桩小事，艾莉可以轻松地处理好。然而，蒂姆的父亲此时却大发雷霆。艾莉不知所措，客气地问他是否需要用一块干净的湿布来擦拭一下。让艾莉万万没想到的是，他不但答应了，而且还警告艾莉，假如她不这样做的话，他就将雇用别人来做这件事，再把账单寄给艾莉。

当我早上如期到佩格拉给赫罗尼莫先生送完货回到家里的时候，艾莉将刚刚发生的这一切都如实地告诉了我。

“你是说他就坐在车上无动于衷地等你回到屋里拿一块湿抹布来擦拭那小小的泥痕？”

艾莉默默地点点头，她的样子仍然显得震惊和迷惑不解。我知道她此时很伤心，为了一件完全不足挂齿的小事所受到的羞辱使她百思不得其解。

“自负的杂种！”我愤怒地说道，“难怪他的妻子总是如此战战兢兢！”我走到车前打开车门对艾莉说，“好吧，我现在直接到索恩维达去教训教训这个无耻的暴发户。”我脚踩油门冲着车外的艾莉说道，“我马上就走，去把查理接回来。决不允许我的孩子和这种傲慢无理的人接触，决不能容忍这个杂种辱骂虐待我的邦妮，还不尊重我的妻子！”

“居然是这个先后顺序吗？”艾莉问道，脸上一副恶作剧的表情。

“你说什么？”我气愤地叫道。

其实，艾莉知道我不是一个易怒的人，但是，如果真是有什么事情惹得我不高兴，我就会不计后果一意孤行。艾莉笑着说：“你是说对你来讲邦妮比我更重要？邦妮受到的羞辱要比我这个勤杂工所受的羞辱还要使你气愤？”

我知道这是艾莉一贯的伎俩——火上浇油。但是，即使这样，我也不会轻易放弃教训这个没教养的家伙。“那你觉得呢？”我说，“邦妮，还有你，谁更重要呢？不管怎样，我都要去给他讲讲这个理。他应该向你们道歉。他不能像对待他家里的管家、女佣或是其他下人那样无理地对待你们。走吧！带着邦妮，我们一起到索恩维达去！”

艾莉摇着头说：“这样做对你有什么好处？”

“就是要让那个神气十足的蠢货无地自容，怎么啦？”

“嗯，也许吧，不过，我想你如果真的和他大吵大闹，他或许会做出更过分的事情来。”

“别蠢啦！”我藐视地说，“别告诉我你相信他会像查理说的那样，给我们一枪吧。”

“你错了。我是说到他的家里去说理并不是最好的解决办法。”

“为什么？他可是在你的家门口羞辱你的啊，不是吗？好，怎么，他就可以这样做吗？”

艾莉把手放在我的手上说：“假如你当着他的面谴责他羞

辱了你的妻子，那你觉得这样谁最难受？”艾莉不等我说话，紧接着又强调，其实X先生就是个恃强凌弱的人，任何令他难堪的伤害都会使他采取报复手段。他是一个典型的懦夫，这一点从他对待艾莉和邦妮的表现中一览无余。

我承认艾莉说得不无道理。一种危险的信号立即在我的脑中浮现。“嗯，”我对艾莉说，“是得考虑考虑查理和蒂姆之间的友情了。”

“我同意。听我说，今天早上看到他对我们的态度，查理第一反应本该是抱着邦妮迅速从车上跳下来，好好地骂一顿X先生。但他是从蒂姆的角度考虑的，而不是在为自己，他看得出来，蒂姆为自己父亲的行为感到耻辱。”

“那查理没有什么不礼貌的表现吧？”

“没有。哎，别说他啦！”艾莉关上车门，“走，回屋喝杯咖啡。别担心，你是要教训他，但是要记住，不是现在。”

我冷静下来，觉得艾莉说的话还是蛮有道理的。但是，我没能找到合适的机会再与他当面说理了。几天以后，在巴塞罗那附近的高速公路上，X先生死在了他自己的车里。新闻报道说，警察没有确凿的证据证明死者的车祸是意外事故还是有人蓄意谋杀。报道同时强调，警察在X先生汽车仪表盘旁存放杂物的地方发现了一把左轮手枪。

读到这个消息时，我对艾莉说：“也许，也许我们真应该通过这个新闻教育查理在高速公路上开车是多么危险。”

艾莉噘了噘嘴，一声不吭。

森迪周末最愉快的事莫过于足球训练和在周日踢一场比赛，赛后再和他的队友在球场附近的酒吧喝上几瓶啤酒了。艾莉和我偶尔也会到球场观看他们的比赛，再到酒吧坐上一会儿。那里的气氛很友好，酒吧设施尽管简陋陈旧，却是男人的天下。假如女士光顾，会受到相当的礼遇，这些先生会情不自禁地表现出绅士风度。森迪不喜欢那种享乐主义的生活方式，也不大可能如艾莉所希望的那样，在马略卡遇到一位姑娘，从而一直留在马略卡。

我提醒过艾莉好多次，但是，她仍然坚持自己的观点："爱情会改变一个人的，不管他有多么固执。"我自然把她的这番话同她最近看了太多言情小说联系在一起，可感情的事是两情相悦的。畅销书作家芭芭拉·卡特兰完全是在误人子弟。

出乎我的意料，星期日晚上，当森迪开着他的那辆小坐骑从足球训练场回家的时候，我看见他的后座上多了一位漂亮的姑娘，她看起来更应该坐在法拉利上，在这辆小破车上简直显得格格不入。她一头乌黑的长发，干干净净的脸蛋，一身时髦的装束就像是热亚那摩托车展上戴着高尔夫球帽的超级模特，完全不像马略卡果农儿子的女伴。

可惜艾莉没看见这一幕。她和查理还有我，我们三个人刚好摘完赫罗尼莫先生第二天要的量从橘园回来。这是我们每天都要乐此不疲重复的繁重却愉快的劳动，爬上梯子，用手扒拉着翻找枝叶茂盛、果实多的树枝采摘橘子，然后小心地码好装筐，准备送货。我低头看看自己，蓬乱的头发，满身混合着汗和橘皮的气味。

艾莉扑打着牛仔裤上的灰尘，在裤子上擦着手上的泥渍，一边仰头望着院子那头停车的地方，一边嘀嘀咕咕地唠叨着："她多美啊！"

"噢，漂亮的姑娘！"查理倒抽了一口气。他看着哥哥身边那位美丽的同伴，感叹地说，"我想他能拥有这位女伴的唯一原因就是……"查理哭丧着脸说，"我怎么没看见她的那条导盲犬啊？"

"胡说什么呢？"艾莉斥责查理。此时，她更希望的是丘比特那小小的爱神之箭能够刺中这两个年轻人的心，"我早就说过，你哥哥可是一个人见人爱的大帅哥。多少姑娘喜欢他啊！"

"是啊，也有男孩子呢！"

艾莉瞪着她的小儿子问道："你说什么？"

查理知道她妈妈现在有点兴奋，所以他故意逗她说："咱们不得不承认，"他耸耸肩说，"自从我们搬到这里后，咱家门口可是好久没人转悠了，不是吗？啊，我是说……不是只有佩普身后的那头小骡子才会崇拜他吗？"

艾莉冷笑了一下，“别无聊了，查理，佩普的骡子可是母的啊！”

森迪下了车，走过来介绍说：“这是琳达。”

“噢，好啊，”我慎重地提醒艾莉和查理，“不一般的姑娘啊！嗯，我们的森迪可真是一匹黑马啊！”

“所以佩普的骡子才那么喜欢他嘛！”查理讥讽地说。

艾莉用胳膊肘碰了碰我说：“琳达，作为西班牙人，她可真漂亮。噢，是她！我相信她是一个好姑娘。”她擦抹干净自己的手，走过去欢迎这位或许能够成为她未来儿媳妇的姑娘，“你好！我是艾莉。”她滔滔不绝地打开了话匣子，“嗯，欢……欢迎，”她有些紧张地笑着用西班牙语说，“欢迎你来……对不起，我的西班牙语说得不好，我是说欢迎你来我们家……嗯，来我们家做客。”她不自觉地嗤嗤傻笑着，“嗯……啊……我们家就是你的家，对，就是你的家！”

琳达笑着说：“噢，非常高兴！”一口典型的苏格兰西部腔调，元音拉得很长，就像周末在格拉斯哥街道上的漫步那样悠长，“啊，您不用在意您的西班牙语，嗯，我也听不懂多少。”

把她误认为是一个西班牙姑娘的艾莉此时正用西班牙的礼节拥抱着在她的脸颊两边亲吻着。

总的来说，琳达看起来很健康，她轻轻地上了一点淡妆，衣着很得体，既不是那种高级的职业女装，也没有廉价佩饰。

比起刚刚从果园劳动归来的我们三个人，她实在是够时髦。

不管怎么说，她亲切友好的行为举止给我和艾莉留下了很好的印象。

“她，我是说，琳达，错过了回苏格兰的飞机。”森迪像是看出了我们的意思及时提醒道。

查理立刻插话说：“好啊，游回去可不近啊！”他对琳达的好感很快就随着少年的心性消失了。

“她明天赶另一班飞机回苏格兰，”森迪说，“但是……”他有些害羞地看着艾莉。

艾莉侧着头好奇地问：“但是……什么啊？”

森迪低着头，一只脚在地上蹭来蹭去，支吾着说：“是啊，嗯，你看，她公寓里的东西都被托运走了，而且其他行李今晚也将被运走，你知道，嗯，你看……”

查理嬉闹着跟他哥哥打趣地说：“嗯，你看……”

“闭嘴！查理，”森迪低声说道，“小孩别插嘴。”

查理扭捏地装着娘娘腔，一只手放在屁股上，另一只手举起来软弱无力地点着自己脑袋。“哦，哦……哦……”他滑稽的举止令人惊愕，“依你的想法，哥哥，那该怎么样呢？”他朝着琳达的方向眨眨眼说道，“我哥哥真的很性感哪，嗯？”

可怜的姑娘此时不知怎样和我们开口，又不好和森迪说什么。我马上告诉查理要礼貌一些。

她告诉我们，她苏格兰的家里也有一个像查理这么大年纪的弟弟，她知道这些孩子对她都没有恶意。说着，她朝查理眨眨眼，“嘿，是不是这样啊？小男孩！嗯？”

查理耸着肩膀嬉笑着避开了，他知道自己刚才有些失礼，适时地闭上了嘴巴。艾莉此时的话打破了现场的一切尴尬。

“哎，可怜的孩子，”她用满溢着母爱的语气说道，“在异国他乡没赶上飞机，这可真是糟糕！不过，没有关系，如果你不介意的话，今天晚上就留在我们家吧。我们非常欢迎你，真的非常欢迎你能来我们家！”

森迪、查理还有我们三个人互相看了看，默然无语。过了一会儿，艾莉带着琳达走进屋里。森迪仍然紧张得不得了。查理显得很高兴。我倒只是好奇，这是森迪第一次带姑娘回家。

“拉雷亚尔训练场离机场可是挺远的啊！”我故意好奇地问森迪，冲查理顽皮地眨了眨眼。

“是啊。”森迪只是肯定地回答我，其他什么也没说。

“嗯，我是说琳达是来这儿度假的吗？”

“对。”

“到海边？”

“是的。”

“哦，我并不是想多管闲事，但是，她怎么会跑那么远去看你们的足球比赛呀？”

“她没看比赛。”

“她没看？”

“对，没看。”

“那么，你是说她是刚好坐车经过，正巧碰上了你们的比赛？你是这个意思吗？”

“不，不是这回事。”

很显然森迪有事在隐瞒，所以，我决定不再追问下去了。可是，查理却不甘心。

“我知道了，”他嘻嘻地笑着说，“我记得拉雷亚尔附近有一个避难所，就是说，可爱的琳达姑娘与埃尔阿雷纳尔海滩上的伙伴走散了，自己一个人迷路正好碰见你……然后请求你……”

“闭嘴，查理！”森迪吼道。

“我不是想过多地过问你的事，森迪。”我的好奇心也促使我插话道，“其实这也不关我的事，但是，你妈妈确实希望你能与一位西班牙姑娘，嗯……”

“好了，好了，”森迪打断我的话，转变了刚才的缄默态度，不得不带着怒气回应我，“我是在马盖鲁夫那儿辛克的格拉斯哥酒吧遇见她的，如果你特别想知道的话。”

查理和我互相看看。“马盖鲁夫？”我们不由自主地一起倒吸了一口气。

“可你是从拉雷亚尔回的安德拉奇，马盖鲁夫并不顺路啊？”我问道。

“是啊，”森迪说，“但是，你知道在辛克的酒吧，星期天看苏格兰足球比赛火爆得很。所以，我就绕道去了那里。你知道那里吸引了很多从格拉斯哥来的游客，而且他们也喜欢了解一些马略卡本地的足球比赛。”

“就这样她误了回家的飞机？”我疑惑地问道。

“就是这样，”森迪肯定地说，“我在那儿碰见琳达的时候，她正在向辛克询问哪里可以找到一个房间让她过夜，她没赶上飞机。就是这样，就是这么回事。”

“噢，是啊，异性相吸嘛！”查理尖声叫道，“辛克的酒吧可是一个灯光昏暗的地方，听他们说，人都可能把卡西莫多认成莎朗·斯通呢！”

假如这个时候森迪发火的话，我想查理就要被送到停尸房去了。

现在该是我给他们两个火上浇油的时候了。“别听查理的，”我说道，“主要是琳达的确是一个好姑娘，而且你妈妈很明显非常喜欢她，不管是西班牙人、苏格兰人，还是英格兰人、爱尔兰人，只要她喜欢就没问题。”

森迪一个劲儿地在那里摇头，他已经表现得不耐烦了。“听着，老爸，我知道老妈在想什么，但是，我希望她最好别往那方面想，人家姑娘就是想找一个地方过夜，仅此而已，并没有其他的事，好吧？”他说道。

我关心地拍拍他的肩膀说：“是啊，我知道。但是，好吧，仅此而已，你做得很对。”此时，我也想就此阻止查理进行猥亵的想象，“假如是你碰到这样的情况，你也能够这样做的。就是碰到一条跛脚的狗，也应该帮它一把。”

“绝对正确。”查理很坚决地表态说，“在这种情况下，别说是一条狗啊。嗯，我的意思是说，老妈形容琳达像个皇后，美如天仙。但是，假如……”

我注意到森迪的表情恨不得生吞了查理，所以，我赶紧想办法阻止他们二人即将发生的战争：“好了，查理，今天关于狗的玩笑就此打住吧。非常感谢！森迪，我想你现在应该进屋帮你老妈打扫一下房间，让琳达感觉像在自己家一样。怎么说她都是你的客人。现在，查理，你帮我一起把这些橘子收好。”

假如艾莉仍然坚持认为森迪是抱着一种罗曼蒂克的想法带着琳达回家的话，那么，他们两个人那天晚上在餐厅吃饭时她的这些想法就完全落空了。事实上，他们二人根本就毫不在意对方。要不是因为琳达擅于与人交谈（典型的格拉斯哥人），大家都会感到很尴尬的。她始终滔滔不绝地说着话，性格乐观，活在当下，这一点让查理都喜欢上了她。

“她可真够酷啊！”临睡觉前，查理对我说，“我喜欢她的性格，像一个男孩子。”

但是，在艾莉的心中琳达就是一个姑娘。睡觉前，我见她在床上半倚着枕头入神地想着什么，突然说好像听到什么声音了。“什么声音啊？”我不解地问道。“可能是森迪和琳达房门的声音。”艾莉回答说。我静静地听了一会儿，没有什么。还是像往常一样，走廊里传来的是从森迪房间里发出的呼噜声。一切证明艾莉想象的那个午夜幽会的情景只是她的梦。

“算了，别想这件事了。”我嘟囔着，“芭芭拉·卡特兰可是没写这一幕啊，睡吧，我的上帝！”

第二天，我对森迪和琳达的看法得到了验证。早上，我从楼上下来，看见厨房的桌子上留了一张纸条，森迪说他今天必须去帮佩普的一个老朋友完成地里的锄耕工作，他在纸条上留言请求我们送琳达去机场。

“对吧，艾莉，”我表现出对这件事很关心的样子对她说，“至少他当时邀请她来我们家是想做好事，而不是为了自己。”

“嗯，嗯，”艾莉冷静地说，“就像那天蒂姆的父亲羞辱我和邦妮时查理的表现一样，他更多地是在为蒂姆着想，没有考虑自己。”

“这可是非常好的品性啊！”说完，我在心中默默祈求无私的上帝，保佑我们不要再遇到有枪的黑老大或是找床睡的流浪儿了。

其实查理对他哥哥所有的嘲讽还都是出于孩子心理，什么驴呀狗啊的，在他的脑袋里根本就不存在两性方面的意识。

蒂姆和他的母亲在他父亲出事后不久就搬出了索恩维达的宅邸，而且很快就杳无踪影了，但是，与他们家有关的一切始终还是一个未解的谜。

— 9 —

榆树街上的梦幻交易

我相信社会上那些尔虞我诈的事情不会发生在巴勃罗·戈麦斯公司那个矮个子格鲁乔的生活中，至少，在他为了完成戈麦斯指派的为我们家长八米、宽四米的游泳池进行独立劳作的短暂几周中，他没有做出任何出格的事。当他把从那个大坑底下挖出的最后一篮泥土送到地面上的那一刻，我端着一杯白兰地走过去为他庆功。他的老板戈麦斯先生也来到了现场，我们都带着赞赏的态度非常感谢他的辛苦劳作。然后，没有任何仪式，也不容半点迟缓，戈麦斯就指派格鲁乔去执行新的任务了。我知道，对于戈麦斯这样的人来说，时间就是金钱。

“非常好！”看着空旷整洁的大坑坑底，戈麦斯高兴地说道。他赞叹地说格鲁乔是他见过的最伟大的人工挖掘能手，话音未落，就爆发出一阵下流猥亵的笑声，格鲁乔本人也小丑一般不自觉地跟着老板那无情的笑声咯咯笑起来。此刻我唯一能做的就是感谢，感谢游泳池第一阶段的工程如期完工。

“谢谢！非常感谢！”我说，“你有时间的话，欢迎你随时来我这儿品尝柑橘和蜗牛。”

“您太客气啦！”格鲁乔低着头不好意思地说。他觉得我非常友善，欣然接受了我慷慨的邀请。

尽管他客气地接受了我的邀请，但我知道他是不会来的。格鲁乔是一个有着很强自尊心的人，在没有完成自己的工作之前，他是不会接受任何施舍的，有损人格的事情他绝对不会做。对他来说，不管自己的身份多么卑微低下，接受施舍就等于是接受慈悲。如果把格鲁乔与那个自负傲慢、任性浮夸的X先生放在一起比较，我会觉得格鲁乔的人格更健全。岛上还有许许多多像X先生这样的人，幸好，我们在萨科马山谷中还没有发现。要是让老玛利亚或是老佩普见到他们这样奢侈浪费，我想他们一定会被判死刑的。

不瞒你说，我一直觉得在佩普和玛利亚的眼中，我或许就是这种人，这个想法一直困扰着我。虽然我知道我们这点改造工程与其他如奥布赖恩家那样的豪宅建设相差甚远，但是很明显，我们现在的泳池建设已经破坏了传统的马略卡乡村农庄风格。有时想起安德拉奇镇上普霍尔-塞拉运水公司那位年轻司机贝尔纳特说过的话，我还有些许安慰，但一个变节者的阴影始终在我的脑海中挥散不去。我们一开始在房后设计的烧烤区完全是自力更生的，没有花费一分钱。选择在杏树林里搭建这个烧烤区，是因为这里的环境比较舒适，我们在房子与古老院墙之间的小树林空地上用石子小心翼翼地铺了一条斑斑点点的石子路，还配上了木桌和长条木椅。白天在阳光照射下，杏树枝叶洒落在桌上、地上的斑影在微风吹拂下一闪一闪，到了夜晚，月光拂过枝叶，若隐若现地洒落在饱经沧桑的院墙上。环境的变化和自力更生的劳作乐趣让我们体会到了更多的生活快乐。

转变更大的是我们对底层储藏室的改建，一开始我有些担心这样做会破坏传统格局，因为这里对于马略卡人来说非常重要，是一个家庭的中心，所有农工用具都储藏在这里。过去，妇女在此洗衣服，制作腊肠等食品。许多时候，这里还是下工的驴子和骡子的休息室，甚至是挤羊奶的工作室。

可是，无论是农庄生意还是日常生活，这里从来就没有为我们派上过什么用场。对于我们的橘园生意来说，因为现摘的橘子要马上送货，所以也不用储藏在这里。拖拉机代替了驴骡之类的牲畜，安德拉奇每个星期三的集市和机械化操作也省去了艾莉许多繁重的家务劳动。因此，这里对于我们真的是毫无用武之地。相对于我们同一个村子里的其他农庄，我们只是小农庄主。除了照顾橘园生意，其他的生活日用品和鸡鸭蛋禽、蔬菜之类的食品全都是在集市上解决的。

我们来到这里就要完全按照这里的老规矩办吗？也不是。我们并非要逃离现实，可是生活需要平衡现代化的便利和传统习俗之间的关系。比如尽管艾莉的洗衣机被佩普说得一无是处，我们也绝不会改用原始的洗衣板的。

慢慢地，我们越来越觉得应该利用这个储藏室做点其他事，但对于我个人来说，总觉得这样做对马略卡的先人有一种负罪感，无论利用这里来做什么，似乎都会破坏这里的传统习俗和原有格局。但那些古老的农耕用具，三个分叉的长柄木叉耙、带齿的修枝锯、有漏洞的炉边风箱、已经生锈的捕鼠夹、阉猪用的剪钳等等，对于现在的我们而言，更多只是烘托出一种怀旧气氛，没有任何实用价值。

艾莉和两个孩子都觉得现在改造一下这里的设施和格局，无论是对我们自己还是将来可能会有的新住户都有好处，而且这里的使用价值要比奥布赖恩家虚头巴脑的装饰实际得多。

他们一起努力说服并鼓励我来做这件有实用价值的事。艾莉强调说与其像老玛利亚那样毫无意义地维护旧习俗，还不如做一些有意义的事情。她建议在角落做一个酒吧台，否则那样狭小幽暗的角落只会让大家感到压抑。是啊！我没有任何理由拒绝他们的建议。玛利亚想要维护的传统不用一成不变。艾莉笑话我，既然我拒绝和骡子合作，那为什么要对没有生命的储藏室这么多愁善感呢？

说得好！没有任何逻辑漏洞，我完全承认。

“那好吧！”艾莉说，“挽起你的袖子，甩开膀子在天气热起来之前开工吧！”艾莉使唤起人来真有一套，“依我看，明天只是昨天的明天，和今天没有关系！”

我只有服从命令，准备大干一番啦！

我从安德拉奇镇上胡安·胡安那里淘来了已经废弃的木质百叶窗作为酒吧吧台的基座。一开始，我也没弄懂为什么一向节俭的胡安·胡安会决定丢弃这样实用的东西。我兴高采烈地把这沉重的家伙装到车上时还在感谢上帝给了我如此好运气。后来，当我剥去即将脱落的像洋葱皮一样绿色和棕色混合在一起的油漆表皮，想为它重新喷涂颜色时才明白胡安·胡安为什么毫不犹豫地扔掉它。他可能还以为我在给政府垃圾回收部门兼职呢。这东西不仅油漆都快脱落光了，木头里面也受到了严重的蛀木虫害侵蚀。当地温暖湿润的气候使它成为这些蛀虫得以生存蔓延的最好的温床，所以，不管什么原因，只要让它们得到一次机会，这些贪吃的小讨厌鬼就会用细小尖利的牙齿立刻给马略卡木质结构建筑造成极大危害，从天花板上的横梁到地板，甚至在洗手间里都会到处蔓延开来。

好在我已经做了防虫害侵蚀的处理工作，我想这些可恨的小东西这下就不会为我增添烦恼了！接下来，我明智地选用了胶合剂让油漆完全封闭，经过打磨除砂后，再用蜂蜡进行软化处理，这样原本破旧而带有潜在危害的百叶窗就重获新生了。我为自己独立完成的这些工作感到十分欣慰。

“你真是不简单！”看着我一步步精心地完成这些工作，艾莉以赞叹的语气说道，“下一步，你把所有的零件组合在一起就完事了。”

她如此简单的概括完全出乎我的意料。

“难道你没看出这工作有多艰巨复杂吗？”我有些心理不平衡地说道，“我可不是一个专业木匠，要把这些东西组合在一起，哪是那么容易的事情啊？”

艾莉说如果我不试着做就永远也不知道下一步该做什么，她说我绘制的那个酒吧吧台的草图只是一个理想方案。她的话暗示我不应该有任何狂妄自大的思想。以她的观点来看，只有经过充分的准备才有可能做好一件事。

“计划，”她指着我的草图，然后又说，“木料。”我这才明白她指的是我买来的一堆还没有用上的木料，她是在暗示我要有计划、按步骤实施工程。“计划——木料——木料——计划——”她重复着，“所有工作都要有细致而严密的计划，所以，现在你该计划实施下一步的工作了！”

我承认艾莉是敏感的，她知道现在我真的有些烦躁，对下面的工作有一些不知所措，我不知道该如何下手，对自己也有些失去信心了。我对自己一开始大包大揽、完全依靠自己力量的承诺感到羞愧脸红。我知道在这样的时刻，艾莉总能适时地用她自己的方法激励我做好一切。

“没关系，”她说，“假如你觉得你自己无法完成接下来的工作，我就去请胡安·胡安来帮忙，你看怎么样？”她耸耸肩，接着说道，“不就是增加一些开销嘛！但是你应该收回你一开始说的完全依靠自己力量的承诺。”她笑了笑，“我们的能力总归还是有限的，没关系，别在意这些啦！”

我无奈地做个鬼脸，重整旗鼓继续干吧。

与此同时，游泳池的工程也在继续进行。巴勃罗·戈麦斯这一次又给我们派来了一个非机械化的人工劳力。这个皮肤黝黑、精力充沛、健壮高大的安达卢西亚人明显带着摩尔人后裔的特征，我们索性就称他为阿卜杜勒。和格鲁乔一样，他从不多嘴，与他不相干的事他绝不参与，只完成自己分内的工作。使我吃惊的是，他甚至对我一早递给他的提神早茶都无暇顾及、毫无兴趣。

阿卜杜勒的第一项工作是要制造出一个有一定坡度的巨大篮状钢筋地盘并嵌入坑底，这的确是一项艰巨而辛苦的工作。首先需要他完全依靠双手把钢筋条折弯或割断，然后，把上百根钢筋条呈十字状交叉、牢固地连在一起。现在气温越来越高，中午火辣的太阳晒得人只想找个地方躲起来休息。

可是阿卜杜勒每天仅用最短的时间喝口水解解渴，就接着干活。和他比起来，我酒吧吧台的区区那点活可真是微不足道。

我对他的手工工艺由衷感兴趣，特别是对那些用钢筋条编织的均等格子花样佩服到家。他似乎对格鲁乔挖的大坑了如指掌，接下来的工作是要把编织好的长方形钢筋笼子嵌入坑底的S形凹槽。我从没有见过如此奇妙的设计，也没见过具有如此精确刻度的手工轮廓装置。我想无论是格鲁乔的还是阿卜杜勒的工作，在现今社会实属少见，这是机械化之前完全需要手工劳作的工艺。更重要的是，像戈麦斯这样吹毛求疵的人对他自己所采用的这种人工劳动方式非常满意。当然对我来说，惊讶和赞叹不足以完全表达我此时的心情……

“太好了！”一大早艾莉看见我刚刚组合装配完成的酒吧吧台就大声嚷嚷道，“我就说你一定能行的嘛！”她走近吧台仔细察看我的“作品”，然后把双臂抱在胸前，点着头赞许地说：“是啊，非常好，看来你是用心在做这件事了！”

我站在她的身后琢磨她是不是在恭维我。我提醒自己先不要自以为是，我倒是觉得还应该补充一些设施，让吧台更加完善。

“嗯，还可以吗？”我慎重地问道，“不过，我觉得……嗯……是不是看起来还显得有一些……简陋。”

“你什么意思啊？”

“我是说这个酒吧吧台看起来本该是温馨舒适的。这个破旧的百叶窗显得那么土气，好像一个报摊的柜台或者是面包房里的……咳，总之，还差点意思？”

“是啊，我现在知道你什么意思啦。”艾莉用两个手指敲打着自己的面颊，不停打量这个酒吧吧台的基座，认真地想了想说，“嗯，也许你再配上一个桶架或是放上几瓶酒、几个酒杯，像是酒吧里那样杂乱点会好一些。”

“是啊，我忽略了视觉效果，但是……”我挠挠头，不解地说，“感觉还是差点意思？”

突然，艾莉停下敲打着脸颊的手，指向酒吧吧台，兴奋地说：“我知道了，灯！需要一盏灯，你在那个台子下面的暗处装上一盏灯，让光线——琥珀色的光线——反射出来，通过百叶窗的折叶缝隙照射出来，那种效果绝对会营造出温馨舒适的感觉！”

我早就想到了。但是，我不想打击艾莉兴高采烈的心情，我对她说这简直是一个绝妙的主意，我一定这样做。但是，我仍然觉得还差点什么。

艾莉看出了我的心思。“那好吧，”她说，“如果你自己都不知道怎么布置的话，我就更不知道啦！你去过的酒吧可比我去过的餐馆都多呢！你自己看着办吧。”她的目光一直注视着那个百叶窗，若有所思的样子，她自言自语道：“多么好的周日清晨，阳光明媚！”外面一阵阵叮叮当当的声音传进来，她因此而转移了注意力。“可怜的阿卜杜勒，”艾莉说，“在那个大坑里干活就好比在一个大汽锅里一样。”

“是啊，”我说，“我去把我的帽子送给他戴上，可怜的家伙，就像他的祖先习惯在沙漠中顶着烈日游牧一样。”

艾莉心不在焉地点点头，“嗯，是啊，不过，我觉得还是给他安一个遮阳伞比较好。”

“对，就这样！”我的眼前一亮，“或许我们的酒吧最后就需要这个。”

艾莉迷惑地看着我，“遮阳伞？”她皱着眉头说，“你想把这里搞得跟海滩上的酒吧一样？”

“不，不是，”我得意地笑着说，“你想错了，我说的不是真的像伞一样的遮阳篷，我的意思是那种罩篷。”

艾莉的眉蹙得更紧了，她说：“你的意思是说像商店橱窗外边那种可以折收的半伞状罩篷？”

我轻声说道：“我想那该叫遮日凉篷吧。”

还没等我接着往下说，艾莉一边摇着头，嘴里一边大声嚷道：“不，不，不！”她表示抗议，“那样也太傻了吧！那还不如彻底搬到外边去。如果你真想那样，干脆就弄个时髦的帆布露台啦，就像商店橱窗里展示的那种乡村遮阳篷一样。”

这一次轮到我反驳她了：“你总是过早地下结论，这就是你的不对啦！”

“那你说说看吧。”她板着脸，噘着嘴，耸着肩不满意地说道。

“是啊，你看，我的意思是说，假如你同意的话，我就用一些树枝弄一个荫篷之类的东西罩在上面。”

艾莉茫然地看着我。

我叹了口气，又耐心地说道：“你知道吧，就是那种弯曲缠绕的枝条，而且有弹性，可以做成你所需要的任意形状，像金雀花一样展开。”

艾莉还是显得有些茫然，她眨眨眼，想了想，像是受到了一些启发。“嗯，嗯……啊……我知道了，你的意思是说要把这个酒吧台弄成那种用枝条缠起来，好像农庄小院篱笆墙一样的屏障？是这个意思吧？”

我得意地笑着说：“这次你说对啦！哎，单靠我一个人是做不好的，这个罩篷看起来正好可以把这个酒吧台遮住。”

我能感觉到此时艾莉在自己的心中描绘着一幅美丽的画面，她的嘴角露出一丝微笑。我想她的概念里难免还是那种她所见过的西班牙海滩上用稻草覆盖的伞状遮阳伞模样。

她深深地叹了口气，这一次好像真的有讨论的余地了。她还是继续用手指敲着脸颊，有些忧虑，然后严肃地说：“是啊，”她一边说还一边看着这个略显空旷的大屋子，“是不是还应该有一个斯诺克之类的大球台？这样也就省得你们爷几个跑到外面花钱啦！是不是啊？”

我难以控制自己的兴奋，我知道艾莉总会出乎意料地为我们着想，而且总能把最佳提案摆在你面前，我觉得这将把我们这间娱乐室装扮得更像样。接下来的一些装饰工作将由艾莉、我还有孩子们共同完成。我们这间娱乐室加上外面的烧烤区和游泳池将改变我们的生活状态、提升我们的生活质量，尽管一开始我还很不情愿，但现在看来，这远比想象的要实用且温馨。

“走啊！上车吧，”艾莉在一旁催促我说，“我们一起去帕尔马！”

乔克·彭斯在我们刚搬来岛上的时候就曾告诉我们，拉兰布拉大街尽头与西班牙广场衔接的欧姆斯街（“榆树街”）上有一条家具长廊。我们当时在这里为新家买过几个必备大件。

按照马略卡一个不成文的老规矩，我们买的房产包括房屋原主人——诡计多端的弗朗西斯卡和托马斯·费雷尔——先前的家居装潢。因此买下房子时，我们自然而然地认为就是这样。当初在签署购买房产协议时，我们当然忘记了要列家具清单。我们错误地认为当我们几个月后从苏格兰搬过来，这些家具依然会摆放在原处。我们完全错了，完全错得没边。

当我们几个月后来到马略卡，这个大房子里所有值钱的东西几乎都被费雷尔运走了，剩下的仅是几件最原始的用具，尽管这些东西被礼貌地摆放在了恰当的位子上。不管怎么说，费雷尔按照指定的时间为我们提供了“装修好”的房子，虽然不一定合理，但完全合法。我们不得不重新置办家具。在离开苏格兰之前，我们自己单纯地认为，花钱把家里那些体积庞大和笨重的家具运往马略卡简直是一件劳民伤财的事，所以我们就都廉价卖掉了，以换取一些微薄的补贴。这本身就是一个错误的决定。接下来通过乔克的介绍，我们结识了家具长廊中乐于助人的年轻经理米格尔，我们就在昂贵的错误里越陷越深了。

虽然米格尔的出现将我们带离了家居装饰的噩梦，但是他的家具长廊中提供的那些令人炫目的时髦家具既昂贵，又与我们这个乡村农庄的格调不符。当然，米格尔非常聪明，他立刻看出了我们的心思。看在乔克的面子上，他马上带我们沿着一条小路来到一家时髦商场的地下室，这里存有一些已经下架的过时家具，我们以为这些已经过时的东西一定会非常廉价，但米格尔告诉我们，这些全部都是崭新的高档商品。如果我们发现了自己喜欢的商品，他可以为我们提供最合理的折扣价格。我们十分感激地接受了他的报价，愉快地挑选了我们需要的商品。

那时，我们只留意了大件商品，比如像起居室、餐厅或是卧室里的家具，并没有注意到其他商品。但是，细心的艾莉却注意到了。

“我觉得米格尔那儿还有些东西，也许放在我们的娱乐室中会挺合适的。”当我开车来到这条街拐角米格尔附近的地下停车场时，艾莉提醒我说。

一个小时之后，我们高高兴兴地从米格尔的旧货库走出来，我的口袋里装着一张长长的购物清单和收据。我们在这里为家里即将完工的储藏室买了许多物美价廉的东西。有舒服的安乐椅、台灯、藤条酒吧椅、西班牙风格的田园风景画等。所有这些装饰用品都类似于帕尔马海滨大道上老式公寓中的风格，但是要精致得多。艾莉兴奋地宣布我们这个储藏室改造工程即将如愿完成。

显然，米格尔抓住了这个绝好的商机，他也为我们提供了最优惠的价格。尽管我们高高兴兴地离开了家具店，但没走多远，我就产生了购物后的沮丧心情，开始为我们银行存款余额的悲惨状况而担心。

“米格尔给的价钱还真挺公道的。”我对艾莉说，“但我们还是花了一些钱，也没和他讨价还价，我担心我们到底能不能负担得起这些东西。”

艾莉和我嬉笑着说:“不用担心！这些东西的开销是绝对值得的，它将为我们的生活增添多少乐趣，而且，别忘了，还会给我们的房产提供升值空间啊。”

“嗯……啊！”我低声说道，“我也希望如此啊！”

“哎，听着，看在上帝的分上，我们不是马上就要在这里真正地享受生活了嘛！另外，我们现在不是已经尽己所能，给这个娱乐室最好的安排了，难道这些还不够吗？”她说得一点没错，但我还是有一些焦虑。“快走吧！”她笑着对我说，“就算咱们真的要破产了，也得让我吃上最后的午餐吧！”

我们把车停靠在广场拐角处普雷姆萨饭店旁边。我不知道艾莉是不是早就计划好了要来这里。她和梅格·彭斯来过，所以这也顺理成章。

推开普雷姆萨厚重的大木门，柔和的灯光加上扑鼻而来的清香，立刻会让你震撼于饭店的规模之大。你一开始会以为自己走进了德国的啤酒地窖，但你的眼睛一旦适应了这里的昏暗光线，就会清楚地意识到这间著名的帕尔马餐馆来自哪个国家。

古老的葡萄压榨机——这正是“普雷姆萨”名字的真实含义——位于屋子中央，屋子尽头一个个粗大的酒桶与墙上过去那个时代斗牛广告的招贴画，让这里处处弥漫着怀旧的气氛。其实我一直都想把我们家改造成像这里一样的氛围。我有种预感，这就是艾莉带我来此的目的了，但我们不可能完全效仿这里的构造和布局来布置我们自己的屋子，那太难做到了。

这里高高的天花板横梁以及地板和桌椅都是纯实木材质的。嘈杂鼎沸的闲聊声回荡在大厅的每一个角落，现在正是西班牙人午休用餐的时间，所以，不难理解此刻这里也是帕尔马城中最繁忙的饭店之一。这里的消费并没有想象中那么昂贵，最主要的是这里应有尽有地提供了马略卡的地方菜肴和传统马略卡乡村口味的食品。这里的厨房是开放式的，进进出出的侍者与里面忙碌的大厨以及各种各样加工或制作的菜肴都一目了然，尽收眼底。

不用叫什么东西，只是安静地坐在那里我们都能感受到浓郁的快乐祥和的气氛。但是，空气中飘浮着的厨房里的浓香气息使你难以抑制自己对食物的渴望，我也很惊讶，艾莉难道会放弃她所钟爱的那个兔肉或是鱿鱼之类的东西？还有，那些丰盛的海鲜以及各种肉类食品真的是太诱人了！或许她过不了多久就会突然决定我们不如先尝尝这里的传统浓汤。这道既经济又实惠的美味浓汤可是马略卡最受欢迎的开胃前菜啊！

这道汤一点不像它的名字，甚至不能叫汤，放凉一会儿后简直能像馅饼一样切开。现如今，多数餐厅，包括普雷姆萨，都会提供这种以马略卡乡村黑面包片为原料制作的浓汤，可以说这是祖母菜谱里的保留菜肴。除了黑面包片和卷心菜之外，“汤”里还会加入各种蔬菜，包括洋葱、蒜头、番茄等。这道浓汤一般都是先将香喷喷的肉汤倒入一口平底瓦罐与所有原料一起熬煮，再盛装在一个较深的大盘子里送到客人面前的。这道浓汤不难烹饪，唯一一个条件是在面包片浸满汤汁之前不能端到客人面前。

不瞒你说，如果与这道浓香可口的菜汤一起品尝另一道制作简单的马略卡乡村黑面包蘸美味蛋黄酱，那可真叫解馋啊！

我们第一次对这里并没有留下很深的印象。这一次我是仔细品味来了，所以，我特别留意了这里的装饰与格调，它吸引人眼球的无外乎就是那些大酒桶、老旧招贴画、暴露的天花板木质横梁、庞大笨重的木制家具以及传统的葡萄压榨机。此外还有一些细节的布置也令人愉悦。

例如在吧台上方明显的位子摆放有一排小号原木酒桶，里面盛装有马略卡著名的绿色草本利口酒，这种略带甜味的特殊草本植物酒后劲大得很，具有很强烈的刺激口味，一般这样的酒都是以制作原料的草本植物来命名。酒桶上都明确标有“干”或“甜”的字样供客人们选择。据说这种酒可以解除你口中之前一切倒胃口的腻味，帮你恢复味觉功能，最好的喝法是按照自己的口味与其他酒勾兑饮用。我非常喜欢这一排小酒桶在酒吧里的造型和里面酒足够刺激的口感，因此，我的心里一直有这样一个想法——把它们放在我自己的酒吧吧台上面。

我正在这里兴致勃勃地幻想着，突然听到一阵“锵——锵——锵”的声音，低头看了一下表，三点整。

艾莉注意到我正在寻找声源，便用手指了指我的身后。

我转过头来看见这座悬挂在暗处的高大、冷漠、庄严的祖父级大挂钟——红木外壳、巨大的钟摆下垂吊着泪珠般的黄铜摆头晃晃当当地定时“执行任务”。突然，我的眼前一亮：我们那个娱乐室的改建工程也需要这样一个古董级的玩意儿。

艾莉看出了我的心思，她说：“别想了，我们可买不起。”

我不得不赞同她的观点，只是我自己一直幻想着能够以普雷姆萨饭店的格局与装修风格来为我们那个小小的储藏室改建工程提供一些创意。突然，我的肩膀被轻柔地拍了一下。

我回头一看，原来卡门已经站在我的身后，她是一位和善可亲的本岛妇女，是查理同学的妈妈。她偶尔会从我们的果园订一些水果。通过查理和她儿子之间的友谊，我们与卡门之间还算比较熟悉，两个孩子经常在周末的时间在对方家过夜。尽管这样，我们对她的丈夫萨尔瓦多的了解也仅仅局限于他是一个帕尔马的商人，至于具体做什么生意来供养卡门母子舒适而豪华的生活，我们不曾过问。

卡门讲着一口流利的英语，在我们一阵热烈的拥抱和亲吻之后，她问道：“你们二位好像都在思考什么问题？”

“是他，”艾莉说道，“他正在把我们家的储藏室改建成娱乐室，这不，正琢磨着怎样不花钱，也能把那个娱乐室装修出一个传统酒吧的格局呢。”

我倒是希望卡门完全能以一种不涉及她丈夫生意的回避态度来和我讨论这件事，恰恰相反，她顿时喜上眉梢、笑逐颜开地和我聊了起来。

“那你走运啦！”她说，接着她透露萨尔瓦多的一个公司就负责马略卡进口北欧一些品牌啤酒的代理业务。因此，萨尔瓦多总是带回来许多免费宣传的促销品，比如像大啤酒杯、带着品牌标牌的酒吧镜，以及各式啤酒桶，就像普雷姆萨饭店的那种，当然体积要小一些。她告诉我们，他家车库里到处都是这些东西，她解释说，车库都快停不下车了。她甚至警告萨尔瓦多要是不及时把这些东西处理掉，她就把它们全部拿给修女去做义卖。

此刻我觉得就连普雷姆萨饭店的空气都像我一样兴高采烈了，而且刚刚心中为了银行账单的那点担忧已经荡然无存。这真是天上掉馅饼。

— 10 —

胜者与败者

不幸的事情发生了。当我们回到“市长府邸”的时候，艾莉发现巴勃罗·戈麦斯的表情有些不对。

“出事了，朋友，”他哭丧着脸没精打采地说道，“真是不幸啊！格鲁乔挖的那个坑。”

巴勃罗带着我们迅速地来到坑前。“不幸啊！”他重复着说，“朋友，我们的问题可大了！”他指着空空的大坑说道。但我还是没明白到底发生了什么事，就在前几天，为了节省开销，巴勃罗指定阿卜杜勒和他的两个伙伴一直在这里工作。他们用一种类似百叶窗木质板条的东西混合着水泥代替混凝土加固坑底和四壁。阿卜杜勒在一旁抽着烟，对他的老板毫不关心，脸上是一种冷淡反感的表情，他的两个同伴也是一样。

看到阿卜杜勒他们没事，我松了口气，然后问道："到底是怎么一回事啊？"我看着巴勃罗问道，"一切看起来不都很好吗？"

"我不是说过了吗，是那个底坑，格鲁乔，这个狗娘养的东西，他把这个底坑挖得太大了！"

一阵沙哑粗犷的笑声从阿卜杜勒他们那边传来。

其实从格鲁乔第一天开始干活的时候我就小心谨慎地量过尺寸，这个游泳池长八米宽四米，而且合约上也明确写下了这两个数字，怎么会挖大了呢？

不是长宽的问题，巴勃罗显得有些激动，我不是还夸过他的活干得漂亮吗？巴勃罗公开表态说，不是这个尺寸的问题，绝对不是！他又指着那个大坑哽咽着说，是深度出了问题。

"他妈的，"他喷溅着唾沫说道，"格鲁乔这个小丑，挖了足足多出四分之三米的深度！"说着，他从地上捡起一把铲锹，噼里啪啦地顺着斜坡走到混凝土铺好的坑底。

从眼角处我留意到阿卜杜勒和他的那两个伙伴看着他们老板急躁的样子都在偷偷地嬉笑。我也忍不住笑了笑。我还记得格鲁乔是在我送给他那杯白兰地酒的早上开始提高工作热情和效率的，但我万万没想到他竟会如此奋进。我告诉了巴勃罗，好让他轻松一些。

但是，巴勃罗根本就不理会我说的话，仍旧脾气暴躁地向我解释，格鲁乔是按照他说的规定尺寸来挖的，只是这个笨蛋忘了这个游泳池池边平台是在屋子前的平台基础上建的。而现有平台本身有个高度……朋友，你看……”他沮丧地低着头等我给出回答。

“正好高四分之三米？”我问道。

巴勃罗几乎掉下了眼泪。我知道这可是要使他破费不少啊！“想一想这些额外的费用……”他低声对我嘀咕着，“八米乘四米，要多出四分之三米的高度。”他哽咽着叹息道，“我的妈呀！所有这些瓦片要超出预算啊……”他低下头用一只手使劲挠着自己的前额说，“大灾难！朋友，”他喃喃自语，“这是一场多么巨大的灾祸啊！”

“呃，事情已经发生了，”我对他说，“既然这样，担心也没有用，轻松一些吧！我不会控告你的。”我有意逗他一下，“依我看，这比我期望的游泳池还要深一些，这不是一件令人高兴的事吗？”

这一招看起来令巴勃罗即刻警觉起来。他马上面带微笑看着我，笑容就如同吃人的鳄鱼微笑。

“您也不用太高兴了，先生，”他说，“这些超出的部分您也要支付的，这是很自然的事情。”

我知道他突然改口称我为“先生”一定是又要进行一番生意上的谈判了。我也赶紧整理一下自己的思绪以免吃亏。“我改主意了，”我接着说道，“我们还是按合同办吧！好，先把游泳池底垫高四分之三米再说吧。”

我听到阿卜杜勒和他的伙伴又是一阵咯咯大笑。

但是巴勃罗并不觉得好笑。他的脸有些泛红，他问我知不知道现在这个大坑多出的那部分还需要多少立方米的碎石填补。接着他强调，现在游泳池的排水装置和所需的管子以及过滤系统都已经用混凝土在游泳池底铺设完毕，而且阿卜杜勒和他的伙伴也已经开始进行游泳池四壁的混凝土浇灌工作了。

巴勃罗解释说当阿卜杜勒向他索取额外的材料时他才发现这个大坑的尺寸已经超出原定合同上的规格。巴勃罗说他自己对这个游泳池所需的沙子、碎石以及水泥的数量及预算是了如指掌的，因此，他确信一定是哪儿出了问题。

“先生，”他苦恼地说，“你看，现在工程的费用已和我们当初的预算有了出入。所以说，你有义务承担一部分，这样的话，我们也可以保证接下来的工程能够正常进行，确保游泳池准时完工。”他非常严肃地看着我说，“合同是合同，对不对？”

“我想，巴勃罗，你应该知道我们的合约规定，只有当一方拖欠或是违约的情况下才可以上调价格，这是我们最后按照你确定的‘小型挖土机’的实施方案时就说定了的。所以说，这应该算是君子协定，不是吗？”

巴勃罗无奈地耸耸肩膀表示同意。

“而且那个时候我是付了全款的，对不对？”

巴勃罗点点头，刚刚还哀伤着的表情一下恼火起来，但很快又变成了优雅的微笑。“啊，”他轻声说道，“但我是一个公平的人，朋友，我觉得我们应该采取一个折中的办法解决问题，你说呢？你我各担一半，怎么样？”

我真是佩服巴勃罗的乐观主义精神。“各有千秋”，这是他当时启用格鲁乔这个“小型挖土机”时引述的话。假如现在的事实证明他当初选错了人，那也应该是他自己的问题，和其他人没关系，他没有理由抱怨格鲁乔的工作，是他自己懒得来检查的，而且我更没义务去替他分担那份由于他自己的失误而造成的损失。我告诉他我坚持我的观点，假如让我来选择，游泳池必须完全按照合同上的规定尺寸来完成。

“但是，和你一样，我也是一个公正的人，朋友，”我大声申明，我想让在一旁聊天的阿卜杜勒和他的那两个伙伴也能听到，“你不用担心会被起诉，”我强调，语气比刚才略带一些戏谑的成分，“假如你依然选择对现在已经超出合同规定的尺寸进行施工，那对我来说并没有任何坏的影响，而且我还可以享用更大的空间，另外，我想，超标的那部分水费也不用你负担了。”我亲切地拍拍他的肩膀说，“这将由你来选择，先生，要保证按时完工！将错就错，不然就只能挖出那些管子和排水设施了。”

巴勃罗呵呵地笑着，然后用手拍拍我的肩膀。他的笑声和动作明显是有意要让他那三个旁观的雇员听到。他最不希望他们知道的就是他在做生意这件事上甘拜下风。

“干吗这么严肃啊？”他咯咯笑着，故意做出一副对这一切都不介意的样子。他这一次狠狠地拍打我的另一边肩膀说道：“唉……唉……唉，你是不了解，我刚刚是在开玩笑嘛，嗯？”他抱起两只胳膊，让双手停在空中片刻，那意思好像在说：“什么，我还有什么可担心的吗？”接着，他大声说道：“多出来四分之三米？有没有搞错啊，先生，对于戈麦斯建筑公司来说，就是超出一米、两米，又算得了什么呢！”他现在说话的声音大得足以让大半个山谷都听见。“请接受这上天的恩赐吧！朋友，超出的这部分就算是我送给你们的啦，不收任何费用。”

尽管结果对我是好事，但我对我们之间这小小的较量并没有感到一丝安慰，我并不认为这一次是我占了上风，因为我本来就没把它看成一场比赛。我也不相信戈麦斯刚才是在跟我开玩笑。以我对他的了解，如果现在我愿意支付因他自己的疏忽而造成的损失，那他一定会一路笑到银行去的。但我不能指责他。“商人毕竟是商人”，他又不是靠做慈善发家的。同理，我也不希望被骗一次，就提前破产了。

此时我在想，下一步，巴勃罗该会怎样处罚那个可怜的格鲁乔呢？这一次他的所有辛苦劳作将不可能和收入达到平衡，巴勃罗不会轻易放过他的。更重要的是，据我所知，他还要赡养一大家子。

其实我并没有必要担心这些。几天后，我路过巴勃罗·戈麦斯的建筑公司时，在院子里碰见了格鲁乔，他还是满脸的苦大仇深，提着那个凹篮以及自己干活所用的工具，巴勃罗嘴里叼着一根粗大的旱烟坐在车上等他，还是那副“我还有什么可担心的”模样。我知道格鲁乔还是那个随时被巴勃罗差遣的“小型挖掘工具”，游泳池那件事对他没有丝毫困扰。我知道巴勃罗很清楚该如何对待他手下的王牌员工。任何一个精明的建筑商人都会在一个新项目动工之前评估一下意外风险的。我想巴勃罗绝不想从我们家的工程中受到太大损失，而且他一定会想办法从他的下一个客户那里获取更多利益。

“真可惜，我们不能像他那样调价。”那天晚上我们送货回来后，艾莉抱怨着说道，“那个批发商告诉我说这就是市场价，没办法，我们就是不满意也还是得接受，这太不公平啦。”

“是啊，这就是经营农场的乐趣，”我回答她说，“这不是和我们在苏格兰农场经营大麦的时候一样吗？交易时能卖多少价，就拿多少钱。如果支出超过收益，也只能接受。”

“那个时候至少我们还可以获得一些政府补帖，可现在我们没有任何保障。”

“你说得倒是没错，但你要知道，不光是水果商人这样，其他商人也指望不上纳税人的钱啊。”

“那这也不公平。为什么有的农场主可以获利，而像我们就不能呢？我的意思是说，我们种植的柑橘可是比那些靠发酵大麦生产的啤酒和白兰地健康得多。”

或许艾莉的理由很充分，但欧盟那些发补贴的决策者是不可能被影响的。作为果农，我们必须要依靠自己的双手创造财富。我望着果园，果树上的果实迅速减少。

“就剩下几周的时间了，”我说，“柑橘季节就要过去了。”

我没有再在这个问题上多说什么，当然也没有必要多说。艾莉和我都知道我们所做的一切以及现在收获的总额会告诉我们果园的未来会怎样。果园里的果树去年经过树医佩佩·苏沃先生的及时诊治，现在基本上已处于正常的果实收获期。接下来八九个月的时间，我们还将对这些果树进行进一步的悉心调理和诊治，尽量在下一个收获季节提高产量，让我们农场的收支达到最佳状态。而现在正是关键时期。

然而马上我就感到了一丝丝恐慌，虽然日子还没有到拮据的程度，但是赫罗尼莫先生在我送水果时告诉了我令人忧虑的消息……

人们对柑橘的需求暴跌。有消息证明这是西班牙进入欧盟的后果，地中海国家之间的相互竞争也促使水果市场供过于求。赫罗尼莫说他不敢确定这是否出于政府宣传的需要，总之，无论什么原因，这都干扰了柑橘市场正常的销售价格。

他还听说人们把数千吨柑橘倾入大海以减少存货。甚至有一些果农宁愿毁掉果子也不愿低价倾销。

我觉得这一切都归咎于欧洲经济共同体的官僚主义作风。之前已经有谷类、番茄以及肉类食品的先例发生，为什么还会再三出现这样的混乱局面呢？我们在苏格兰的小农场已经遭受过这样的境况，而今在西班牙的土地上也将要面临同样的命运。强者生存。在果树种植业，强就意味着规模庞大。

“是啊，这就是我们建设游泳池和其他——比如现在的这个娱乐室等——存在增值空间的设施的原因，”进餐厅时，艾莉提醒我不要为这件事沮丧，“如果我们现在不能在果园的生意上获取更多利益，你看，我们现在这个正在改建的储藏室不是还有许多从卡门家车库里运回来的‘家伙’等着你发挥创造力嘛！”

— 11 —

从安德拉奇到索列尔

忘却烦恼的最好办法就是始终保持忙碌的工作状态，假如能够享受这样的状态就更是一种幸福。当初艾莉坚持说改造老储藏室会给我们的生活增添许多雅趣，现在看来，她说得非常正确。前一段时间里，我们一直在自行改装家里。虽然都是进行相同性质为自我创造空间的劳动，但是，如果拿这件改建工作与其他事——比如单调乏味的更换餐厅壁纸等实用性工作——相比，当然还是娱乐室的创作空间和乐趣更多一些。

当然，我们所做的这些工作实际也存在问题，不管怎么说，在这样一个传统古老的农舍中依靠想象力来进行改建工作，还是有一定的局限，势必会产生审美上的困境。一些原先遗留下来的东西现在可能还有一定的实用价值，比如说储藏室角落里的淋浴间和巨大的美式冰箱，以及院子里那个古老的石头洗衣盆。一开始我们对费雷尔家留下来的这个冰箱着实挺感兴趣，但是，日子久了，维修它花的钱比买一个新冰箱都要多，我们经常因为它出现故障而不得不把存放在里面的东西拿出来，一次次的挪动不仅影响了食物的质量，而且还浪费时间和精力，我们真的因此而感到非常苦恼。可我们还是坚持去修了，最后换掉了里面所有的零件。后来，特别是在炎热夏季那几个月的时间里，这个冰箱就成了除去我们买的放在厨房厨具台下的小冰箱之外最得力的帮手。

艾莉很久之前就“解雇”了储藏室中费雷尔家留下来的那个永远都在漏水的破旧洗衣机，在那个足够大的空间里添置了一个热水器（想象一下费雷尔慷慨留给我们的那两个古老燃气热水器简直就像两颗随时都会爆炸的炸弹，时时威胁着我们的生命安全）。这个白色亮漆的时髦款式和我心中的乡村小酒吧吧台格格不入，我们得把它们都挪挪位置，或者藏起来。

第一个选择势必会因为开销太大被否决，这是无法避免的。

艾莉故意打趣道：“任何酒吧都得有一个小冰箱、水池，还有洗手间，如果能提供淋浴那就更妙了，所以不必花功夫搬出去。”最后我们决定还是用些草编的东西把它藏起来。

我们继续为这个新的娱乐室进行美化和装饰，几天的时间过去了，一切都按照我们的计划顺利进行。现在，我们正等待那个从索列尔——马略卡盛产柑橘的首府——买的斯诺克球台到来。这是孩子们从《马略卡每日公报》广告里发现的折价商品，而且是一个 3/4 大小的，正好适合我们这个娱乐室留下的空间。尽管后来这个球桌被放到一边，上面时常摆满零零碎碎的东西，但这毕竟是两个孩子骄傲和快乐所在，其实我与孩子们一样，都在从中感受着输赢间的喜悦心情。

艾莉对改建游戏房这件事一直兴致缺缺，作为家里唯一的女性，她一直把这当作小男孩们的游乐场。而我，就是那个孩子王。我们当初决定购买这个斯诺克球台时，我就保证一定要挑选到一个物美价廉的商品，而且一个额外条件就是由我开车，我们从安德拉奇到索列尔进行一次观光的长途之旅。要知道，这可是一条风景绝佳的旅游路线，除非你晕车啦！

上次开车经过惊险刺激的这里，是霍尔迪陪我到班雅尔布法他一位老朋友的种植基地购买番茄秧苗。这里寂静的山村、新月形陡峭的梯田是植物生长孕育的绝好基地。后来我的记忆全因霍尔迪和那位朋友的盛情美酒而变得模糊。今天我非常高兴我们全家一起出行，不用担心再被别人“引入歧途”了。两个孩子根本不愿错过买球桌的过程，同样，任何涉及金钱交易的现场艾莉也从不缺席。何况，她手提包里还牢牢装着我们准备买球桌的钱呢。

我们从安德拉奇郊外的市场街向北上C710公路，沿着通向格兰莫拉隘口的崎岖山路稳步爬升，接着延灌木丛生的宾诺泰尔山山坡行驶。正是在此时，你会发现在你的左下方，蓝蓝的大海在阳光映照下碧波荡漾，帆影点点。蛇形的曲线山道依着特拉蒙塔纳陡峭的山峰流线盘旋，山石于海天之间色彩斑斓——苍凉暗淡的鸽灰色、米棕的骆驼色、猩红的狐色——四处的秀丽风光尽收眼底，炫目的景色令人震撼，偶尔的悬崖让人胆战心惊。到达小岛最北端九十公里处的福门托尔角时，我们仅仅才走了三分之一的路程。

尽管山路崎岖陡峭、盘旋险峻，但是，这几年政府在安全维护方面下了相当大的功夫，可以说安全系数很高，每年数以百万计的游客经过此地，几乎没有险情发生。山、海、森林，长期以来就诱惑、吸引着大批游客，或许人们至今仍会缅怀驴驮骡牵的时代。即使是寂静的冬季，人们在山路弯道上也需要相互谦让，放慢速度等待，看到豪华大客车上满载的游客发自内心地喜悦，你也许会为自己能够生活在这片美丽富饶的土地上而感到由衷的自豪。

这条山路上设有许多个瞭望台供游客途中休息，好观赏马略卡的山中美景。我们一路上遇见的第一个瞭望台是里卡多罗加瞭望台。就在这个悬崖顶还有一家埃斯格劳餐厅和一家专销旅游用品的商店。这里的大露台就悬挂在陡峭的山壁上，脚下就是茫茫大海，美景实在摄人心魄。因此，这里是旅游观光者途中必停之处，各种交通工具，如公共旅游车、自行车、大客车、小轿车，应有尽有。如果你不喜欢熙熙攘攘的涌动人群，可穿过前方隧洞，继续前行几公里，不远处就是静谧的埃斯特连克斯村。

皮隘口餐厅恰好坐落在这条向下盘旋的道路路口上，这里虽然不像山顶瞭望台那样令人震撼，可围绕着埃斯特连克斯村的风光也别有一番风情。这里正好坐落在特拉蒙塔纳群山最高峰加拉措峰的山脚下，峭壁锋锐的加拉措峰在碧蓝的天空映照下衬得山脚下的埃斯特连克斯村宁静而安逸，褶皱般的人造梯田像是自然造化的山谷间天然大露台，自然壮丽、美如油画的景致也是徒步旅游者的天堂。

四周寂静的山林中，人们只听见麻雀啁啾鸣啼、山羊的咩咩声以及远处绵羊叮叮当当的铃铛声，一切都显得那么慵懒，只有时不时从海上飞过的海鸥啼鸣像是报时的钟声打破了山村的寂静。野生的花草与松脂的清香弥漫整个山谷，橄榄树林中燃烧干枝的烟熏随着清风吹过，伴着鸟语花香使你迷醉悠然，这就是马略卡的乡村气息。

皮隘口餐厅颇具传统怀旧风格，巨大的壁炉以及那粗矮砖石材质、现代造型的烟道使每个来此的客人都投以好奇的目光。木质横梁是马略卡传统住宅的特色，同时也使高大宽敞的大厅显得独具特色。在马略卡，几乎每家饭店都会设置露天餐室，这里海风拂过绿色松林，给客人带来了巨大的视觉冲击和享受。

山路两边风景别样，埃斯特连克斯与班雅尔布法一带乡村风情浓郁而独特。在靠山的一面，荒野树丛中密集地立着一座座石头房子，人造梯田上瀑布般弥漫着番茄秧苗。峭壁之下，茫茫的海涛冲击着巨石，远处碧波中荡漾着点点白帆。这里幽雅娴美的山林和碧海也是许多艺术家和作家在马略卡发挥创作灵感的首选之地。鹅卵石铺就的山间小径，古老的橄榄树林和杂草丛生的陡峭山壁，一切上天造就的自然美景以及扑鼻而来的清香空气让你目不暇接、七窍通畅，偶尔还有山间翱翔的苍鹰陪伴你一路开怀。

在这一带最著名的山村还属德阿，这个未被损坏、保护完好的古老传统的马略卡西北部乡村小镇是著名诗人罗伯特·格雷夫斯生活工作的地方。即使是在旅游旺季，这里也宁静无比。

但这里的魅力不止于静谧的风景。沿着山崖崎岖陡峭的山间小路“之”字形盘行，你会发现许多狭小幽静的海湾，这当然更是徒步爱好者的乐土。卡农热港就是这样一个渔夫侠客的避风港。

在艾斯波雷斯村，你能真正体会到马略卡古老的乡村风情，专业的蚕丝纺车吱吱嘎嘎上下摇荡，粗布、石雕、舞蹈，最原始的风俗吸引着大量观光客到此一游。拉格兰哈从罗马时代就盛产纯质的山泉水，如今，这里的山泉更是名声大振。

再向前走是巴尔德莫萨，一座有着历史传统的名镇。这里有一座天主教加尔都西会卡尔特会修道院。1838 年末至 1839 年初的冬天，波兰音乐家肖邦和女友、法国著名作家乔治·桑（原名阿芒迪娜·奥萝尔·露西·迪潘）住在这里。她在书中写道："这里是所有诗人和艺术家梦想中的乐土，是最自然的创作源泉之地。这是我曾经居住和见过的世界上最优美的地方。"

现在，每天沿着石头房子间各种鲜花簇拥着的石路漫步的游客越来越多。我怀疑，假如在乔治·桑生活的那个时代这个小镇上也是如此这般人潮涌动，她还会有如此美妙的创作灵感吗？游客们在此参观曾经关押僧侣的小屋——这里后来成为肖邦创作乐章的地方——欣赏着每天定时的肖邦作品演奏会，徘徊在卡尔特会博物馆和漂亮的花园，为教堂壁顶的油画感叹。这里还是马略卡唯一的圣徒、圣卡塔利娜·托马斯的出生地。尽管每天有大量走马灯似的游客驻留，但是，巴尔德莫萨始终保持着它悠闲宁静的气氛。

继乔治·桑和肖邦之后，可以说是奥地利大公路易斯·萨尔瓦多开创了现代马略卡的旅游业。年轻的大公于 1867 年第一次造访后就一发不可收拾地喜欢上这里的山水。完全被迷住的大公买下了幽僻的米拉马尔，"一个梦幻般的所在，水天相接，所有风光尽收眼底"。西班牙杰出的思想家米格尔·德乌纳穆诺概括说:“这简直是一个奇迹！米拉马尔让你大饱眼福，灵魂得到荡涤。”不过，大公选择米拉马尔不仅仅是为了地中海辽阔的海景风光，他更欣赏那些未被破坏的自然山林和原野。从一开始，他就命令自己的手下“要尊重这些虽形状怪异却无比壮观的古老橄榄树、常青常绿的橡树和松树”。

如同所有的乡间，米拉马尔附近的森林也遭到了砍伐。根据当时的一位编年史作者记载，有一天，平日里雀鸣啁啾的山林突然变得十分寂静，能够听到的只是从远处传来的噼噼啪啪砍伐树木的声音，大公看到邻山一位业主正在大力砍伐一棵古老大树。马略卡当时没有宪法规定禁止采伐山林，所以他无权干涉这些行为。但是，在他看来，这简直就是一种蓄意的破坏行为。为了不让这种事再发生，大公花大价钱买下了这片土地。可是，不久，相同的事情又发生了，大公迫不得已又买下了另一片正在被破坏的土地。如此这般的事情接二连三地发生，很快，大公又能重新在早上醒来推开窗子的时候听到那自然的鸟语了。

就这样，大公路易斯·萨尔瓦多一连买下了相连的十二块土地，最终成为索恩马罗伊格庄园的拥有者。假如从这个陡峭崖壁的岩石上俯视大海，你就会幻想像海鸥一样盘旋着俯冲进这碧波荡漾的海涛之中。这个临海庄园目前已经对游客开放，尤其那个以其能够俯瞰到的壮丽“穿孔”岩石半岛而命名的纳福拉达达餐厅，广受游客喜爱。到了这里之后，你能够体会到大公为什么会在这个依山傍水鹰穴般的地方生活居住多年。

当时大公并未意识到他的这番作为给后人带来了多么珍贵的财富，他投资和保护的这片如诗般的田园风光成为后人享之不尽的快乐源泉。他一生都致力于《巴利阿里岛》的创作，这是迄今为止最完整叙述马略卡地理、植物、民间风俗、传统工艺、劳作方式等的历史巨作。

大公希望他的这部作品能够得到广泛推广，因此，他盛情邀请名人显贵到岛上做客，他希望欧洲的画家、科学家、皇室成员以及贵族能够和他一起分享并热爱地中海上的这片珍贵的自然美景。他的热情和慷慨使马略卡的旅游业迅速发展壮大。

但是，随着技术产业和旅游业发展，难以预料的工业革命带给马略卡的破坏是千百个大公也无法阻止的，更是萨尔瓦多大公也不可预料的。大片的海滩上、山林间建起拥挤的住宅和饭店，这为当地创造财富的同时大大破坏了原始的自然风光和美景。

但他所珍爱的特拉蒙塔纳山区一带的遗产保护还是得到了相当程度的重视。而且，凑巧的是，另一位兼具实力和影响力的好莱坞明星以保护历史遗产的名义在巴尔德莫萨建立了一个文化中心。

仿佛是历史偶然间的重复，迈克尔·道格拉斯也是第一次来到岛上观光就爱上了北部沿海这片富饶美丽的土地，他选择了这块曾经属于萨尔瓦多大公的领地，希望在此建立一个促进世界文化交流和发展的中心，使来到这里的作家、艺术家、音乐家以及思想家与当地百姓把传统和前卫的潮流更好地融会贯通。萨尔瓦多大公若是在天有灵，也会赞同他的所作所为的。

至少至今还没听说迈克尔早上被邻居的伐木声吵醒!

我们就这样一路上走走停停，徘徊驻留在许多使人流连忘返的美景胜地。但是，两个孩子提醒我们还有任务在身，因此，我们必须加紧一直向前行进。过了德阿，前方沿海的弯道笔直入海，眼前突然出现的是特拉蒙塔纳山用它那结实的臂膀拥抱的一片浩瀚广阔的幽静山谷。这片群山间的最高峰，就是马略卡岛上的制高点马约尔峰。富饶的资源使这一带柑橘产量喜人，俗称的“柑橘村”就位于这片威严雄伟的气势环抱之中。接着往前走，在这条美丽“绸带”的尽头就是我们的目的地——索列尔，一片片橘园保证了这里的繁荣。

位于特拉蒙塔纳北部的索列尔从地势上来看并不存在优势，虽然索列尔踞马略卡首府帕尔马仅有三十几公里的路程，但是，由于地势险要，一直以来，首府与这个西部的文化中心仅靠一条狭窄的铁路连接。在到达索列尔隘口之前的那段公路实在最令人生畏，可以说这是马略卡山路中最陡、最危险的公路。因此，索列尔的商人宁愿跨海域与法国建立商贸交易，特别是通过马赛港出口柑橘。

现在的索列尔镇中仍能看出旧时代商人与法国贸易所带来的点点滴滴，优雅的房屋建筑、精致的铁艺雕饰阳台、迷宫般狭窄的鹅卵石小路上古老而壮丽的教堂……如果在宪法广场上巨大的树下喝上一杯咖啡，静静欣赏那些过往的当地人不紧不慢的悠闲生活，那真是惬意极了。

每隔一段时间，你就听到古老的木质小火车嘟嘟的汽笛声响起——又一批从帕尔马来的游客被送到了。与这条铁路相连的是另一条有轨电车道，如果你不想马上在索列尔镇上转转，就可以直接登上这辆晃晃荡荡无窗敞门的有轨车先去索列尔港口，一路上叮叮当当的钟铃好像在提醒车道两旁的住户这条路的确太窄了，稍不小心，你就会被两旁院子里伸出来的树枝挂到，而且只要伸手就可以摘到院子里树上的柑橘和柠檬。这一趟专线游览车上总装着满当当的游人，特别是夏天旅游旺季，两节车厢连接处的过道上都会被挤得满满的。据说这小小有轨电车年轻时曾在美国旧金山的坡道上晃荡，它们也确实给马略卡的这个魅力角落增添了一种奇异的魅力。

我们这一次可没有时间去品味这一段独具魅力的特殊旅程。我们的目的地是福纳卢奇——马约尔峰山麓中的一个小村庄。

福纳卢奇被评为马略卡——如果说不是整个西班牙——最美丽的村庄之一，甚至被称为地中海的世外桃源，虽然有些人觉得这有点夸张了。在冬季，群山环抱的福纳卢奇可以始终温暖如春，另外，这里最突出的水力资源使它声名鹊起。当然，这一切都离不开人的创造。

这里有一千年前的荒芜梯田，还有通过摩尔人的工程技术从山顶凿通的水渠。从远处看，那些石头房子与梯田上橘园的色彩就像被画家浓墨重彩地上了色，俨然一幅印象派画作。

"啊哈，欢迎你们啊，我亲爱的苏格兰朋友！"

安托瓦妮特·麦克弗森夫人掺杂着两种语言——就像她的名字一样——热情地与我们寒暄问候，她用嘴轻轻地咬着自己的手指尖，"哦，我知道，我的这个广告已经登了一年了……"她眼睛一眨一眨地显得有些不好意思，然后咯咯笑着说，"你们知道吗，不管怎样，非常感谢你们还特意跑过来。"

我们是被同村的一位妇女引到这里来的，她告诉我们说麦克弗森夫人是一名退休的演员。当我们沿着向上盘行的石阶小径来到她家的天井时，麦克弗森夫人正斜靠在一张柳条编织的躺椅上。下午的太阳被巨大的棕榈树叶遮掩着，天井中十分凉爽。她身穿一件绣着中国龙图案的红色丝质长裙，戴了一副竹框眼镜，一只手上的竹制烟枪足以充当班雅尔布法的番茄爬藤架，另一只手则捧着一杯鲜榨橙汁。

她热情地邀请我们在一张柳条桌边上的柳条椅上坐下，桌上有一壶鲜榨果汁和一只香槟酒提桶。很显然，她是一位讲究生活方式、重视视觉效果也很有品位的女士，与她那一身红色裙装相衬的是涂抹精致的指甲和弯月似的朱唇。

“这里景色是不是很美？”她从嘴里慢慢地呼出一口烟气，动作就像剧院舞台上演戏的演员。

她的房子离小镇广场并不远，由于坐落在高处，这个占据着有利地势的小小庭院可俯瞰全镇，甚至连索列尔的景色也能尽收眼底。花园角落里滴滴答答的泉水声以及盛开着的天竺葵花簇拥着古老院墙，使这里的一切都是那样幽静和谐，让人流连忘返。难怪这个从舞台上退下来的优雅女士会隐居在此。

“是啊，这里的确太美了！”我模仿着她那优雅的法式英语腔调说道。

此时，坐在我身边的查理轻轻地用胳膊肘碰碰我低声说道：“可别忘了正事啊，老爸！我是说，我们什么时候去看那个斯诺克球台？”

麦克弗森夫人的耳朵相当灵敏，“噢，孩子，别着急！”说着，她起身指着房门，大概说了一下如何找到那个房间。

两个孩子马上都站了起来，“夫人，假如您不介意的话……我可以和他一起去看看吗？”森迪有点胆怯地微笑着问道。

麦克弗森夫人看着森迪，对艾莉说：“都是帅小伙！尤其是大的这个，嗯，森迪吧。”她停顿了一会儿，用她那双美丽的眼睛仔细地上下打量他，“森迪，嗯，小伙子真帅！”

艾莉其实听不懂法语，但是作为母亲，从她说话的语气和神情上，艾莉敏锐地察觉到话语中的深意。她马上警觉起来，尤其是这个老女人的年纪足以做孩子们的奶奶了。“是啊，他的确是一个好孩子。”

聪明的麦克弗森夫人马上转了个话题说道：“你们是不是很好奇我的苏格兰名字啊？”不等我们回答，她就开始给我们讲述她的婚姻史了。

她告诉我们，理查德·麦克弗森是她的第三任丈夫，“哦，我的大鸭子！”她习惯性充满爱意地说道，“可爱的苏格兰大男孩，特别是穿着苏格兰格子短裙的时候。”

“苏格兰男人都非常性感，是不是？”她看着艾莉说道，眼睛在她那竹框眼镜后面闪烁着光芒。

她说她第一次遇见理查德时，他是伦敦《新闻日报》的戏剧评论家。他当时到巴黎是做采访去的，他们在安托瓦妮特一个新剧目上演的后台聚会上相识——相当典型的一见钟情。紧接着便是美如童话的城堡婚礼和浪漫生活，理查德就此放弃了他的记者身份，开始创作浪漫小说。

她一耸眉，表示他们三年后就分手了，她承认这是她的过错。她说此后，她没有再婚，接着又补充说，但情人可是生活中不可或缺的润滑剂！

“这就是为什么我要卖了这张台球桌。”她看着我们费解的表情，接着又说，“噢，你该知道……也不能总是和玩斯诺克的男孩子恋爱吧！嗯？”

“不能。”我们几乎是同时说出了这句话。她看了看我们“爱管闲事”的表情，备受鼓舞地继续说下去。

罗杰，一个二十岁左右的伦敦诗人，是她最近的男友——一个缺乏责任心的漂亮男孩，样子酷得简直就是米开朗琪罗笔下的大卫，两只眼睛如同拉斐尔笔下的圣母马利亚，身体的线条就如同波提切利的维纳斯女神，他的欲望……天哪！安托瓦妮特说她为了能跟上他几乎倾尽所能、无所不做！但是，她马上又补充说，她成功了。

罗杰致命的弱点是内心脆弱，更确切地说是他的意志力比较薄弱。在山谷橘林间写了几周的诗歌之后，他就厌倦了乡村的生活，除了酒吧，他觉得一切都无聊透顶。所以必须把他从这样的生活中解救出来，以免他成为令人哀伤的忧郁诗人狄兰·托马斯的翻版。麦克弗森夫人从他喜欢看的电视节目观察到，罗杰对斯诺克台球有着极大的热情，当然这是除却他的性生活、酒精以及逐渐淡化的诗歌创作之外的事了，因此，她特意从英国生产厂家直接为他定制了一个专业的斯诺克台球桌。

“就是这样。”她说，为了哄他欢心，她买下了这张斯诺克球桌。

“为什么现在又要卖了呢？”我带着疑惑问道。

麦克弗森夫人皱着眉头说：“还不是因为刚刚玩了几次，他又没兴趣了。”

我不解地摇着头说：“你是说他对斯诺克也没兴趣了？”

“是啊！”她用鼻孔深深地呼出一股浓浓的烟，气急败坏地说道，“更可恨的是，他……简直羞辱了我，他和隔壁的丫头搞到一起了。”

艾莉和我都禁不住咳嗽了几声以掩饰我们的窃笑，但我们很清楚其实这并不是一件好笑的事。

那姑娘，安托瓦妮特说，是她那位德国邻居的瑞典女伴。这可真是一个典型的国际三角关系了！当然，气愤的受害人安托瓦妮特·麦克弗森夫人立刻就把这个小子赶出了家门，然后，把他的所有东西都处理掉了——除了这个斯诺克球台。夫人说，你知道西班牙人和法国人一样，不玩这种英式的斯诺克。

我觉得还能讲讲价，所以，我接着问道：“没有多少人对你的广告感兴趣？”

“嗯，”她耸耸肩说，“是有人给我打电话关心这件事，但我确信他们都是一些开酒店的小业主，”她缓缓地把嘴中的烟雾吐出来，“我可不喜欢那些在电话中把我称为‘洋娃娃’或是‘甜心’的人，我拒绝他们到我这里来看球桌。”麦克弗森夫人说话的样子显然有些激动，不过，她停顿了一会儿，表情显得和缓许多，她微笑着对我们说，“但是，你们就不一样了，特别是森迪，你们的这个大儿子，多好的一个帅小伙啊！”她看着森迪，显得十分兴奋。

麦克弗森夫人是一个健谈的人，她喜欢由着自己的性子谈论感兴趣的话题。毕竟女人和女人还是有许多可以聊的话题。她告诉艾莉，她的三次婚姻留给她不少财产，使她可以无忧无虑地享受生活，但是，她旺盛的精力和天生静不下来的性格使她始终都需要保持一种心理和生理上的平衡，她有些不好意思地说她需要爱情的滋润和生理上的满足，她说这方面对她来说从来就不是什么问题。说着，她那红唇又笑成了一牙弯月。她暗示说自己最近又进入一段崭新的甜蜜恋爱中。她强调她与那些无知的漂亮男孩同居完全是另一回事。她说，现在她除了享受生活，还在与巴黎一些顶级的时装商人做一些进出口服装生意，当然这些服装都是高级定制女装，实际上就是设计师专门为一些出入特殊场合，比如高级午餐、晚宴或是聚会场所的明星量身定制的高级礼服或套装。她说这些服装都是崭新的，而且都有那些著名设计师的亲笔签名。她只收取相当少的一部分利润，她笑着问艾莉要不要看看。

这就意味着我和两个孩子可以去看台球桌了。我们一起来到那个房间。的确是个好东西——墨绿色的台面呢毡、精致的球袋、球杆、漂亮的彩球……东西相当齐全，而且状态保持完好。我非常喜欢，不仅因为它是一件娱乐玩具，主要还因为这样一个崭新的东西可以为我们小小的农庄增添一份雅致的氛围。我决定买下。

可不走运的是，当艾莉和麦克弗森夫人走进来的时候，我还悠哉游哉地夸赞球桌，完全忘了要砍价这回事。再想到安托瓦妮特已经讲述过的她登广告后的遭遇，我为自己的草率和粗心自责。可是，我的担心纯属多余，命运之神最近一直都在关照我！

森迪的动作准确而漂亮，一杆下去，正好把那球撞进网袋中，他低弯着的身体和伸展的手臂正好让麦克弗森夫人看到了动作最完美的那一瞬间，可是，由于动作太大，他不小心露出了底裤的边缘。

“哦——哦——哦，”安托瓦妮特受到了强烈的刺激后兴奋地尖声叫道，“非礼勿视……”

森迪马上像军人听到了集合命令一样紧靠着球桌边缘立正站好，震惊与迷惑一起写在他的脸上。

“告诉我，森迪，亲爱的，”安托瓦妮特翘着嘴说，“你喜欢斯诺克？”

森迪点点头，他的眼睛此时左顾右盼，就像一只被垂涎的野猫盯上了的兔子，无处逃身，正四处寻找出路。

“真是太好啦！”她用贪婪的目光盯着森迪，然后兴奋地说，“我知道，你的那个……一定……特别的……”

查理做了一个将要呕吐的怪样。

森迪脸色苍白。

安托瓦妮特色欲上身。

我注意到此时艾莉惊恐得几乎毛发耸立！

我清了清嗓子，赶紧接过话茬说：“嗯，夫人，您知道，我们是为这个斯诺克球桌而来的，我们感兴趣的是这个台球桌。是啊，坦率地说，现在的问题是价格，您准备要……”

她用那长长的烟袋杆敲打着我的肩膀打断我，然后问我能否支付搬运费。我回答说没有问题。接下来，当我正准备和她进一步商榷合适的价格，她又一次打断我，匆忙地转向森迪。

“噢，你，你，这么帅气的苏格兰小伙子，”她慢悠悠地说，“你要告诉我斯诺克让你有多开心……等你下一次来福纳卢奇的时候，好吗？”

森迪因惧怕而显得有些精神恍惚，他很茫然地点了点头。

“那你可得穿上苏格兰格子裙呀！”

森迪像是被施了催眠术，不由自主地连连点头。

查理躲在我的身后低声嘟囔着：“不正经的老东西！”

麦克弗森夫人显然没听见查理说的话。“好吧！”她对森迪说，“这就当作礼物送给你啦，这个球桌，好吗？”

森迪木讷地点点头。

她嘴里叼着长长的烟袋，走到森迪身边，拥着他亲吻他的两颊，用手轻轻拍着他的屁股。随后，我们每个人都不得不接受她所施与的泰斯庇斯式悲剧告别礼。

回到车里，我劝艾莉不要太在意刚才那个老女人对森迪的言行举止。突然，我发现车后座上有一个大纸袋子，好奇地问艾莉那是什么东西。

“什么？哦，没有什么，”她打着哈哈，“就是安托瓦妮特那里的一点小东西。”艾莉笑着说，“漂亮的女人，很有性格，不过，很好。”

车窗外飘进来的柑橘的清香突然使我清醒了，我意识到艾莉是在说谎。“你是不是从她那里买了一件时髦的巴黎女装？”

“嗯，没有，没有，不是什么时髦的衣服，就是一件普通的连衣裙。”

“噢，好吧，实际上是两件连衣裙。”艾莉为了转移我的注意力，也为了阻止我下一个要问的问题，她自己接过刚才的话滔滔不绝地夸奖麦克弗森夫人是如此慷慨大方。她说麦克弗森夫人说了，等她下一次从巴黎回来的时候，两人可以到帕尔马见个面，看看她从巴黎带回来的一箱子世界上独一无二的漂亮裙子。倒不是说艾莉要自己买来穿，而是可以看看也许我们的朋友们会想买。艾莉兴奋地说："夫人说了，可以当个赚点小钱的副业。"

她自己在那里非常得意地笑着，我问道："那么，你给了她多少钱啊？"

没有回音。"这两条连衣裙到底花了多少钱啊？"

艾莉单纯地瞪着两眼望着我说："你说这个啊，"她指指那个纸袋子说，"你是说这些？"

"是啊，多少钱？"

"噢……没花钱。"

"没花钱？"

"是啊，多多少少。我的意思是最后等于是没花钱。"

现在我明白了。"就是说你用了斯诺克球桌的这笔钱……对不对？"

艾莉笑着没说什么，我们都明白啦。此时，我还有什么可抱怨的呢？两个孩子和我拥有了一个免费的斯诺克球桌，安托瓦妮特得到了我们准备付给她的钱，而艾莉则得到了两条漂亮的连衣裙。"你们等着看我穿上这些裙子吧！"虽然是自言自语，但是，此时的艾莉还是一副卖弄风情的样子。

两个孩子作势要吐。通过这件事，我认识到这女人的心思要比从安德拉奇到索列尔的路还要蜿蜒险峻。

— 12 —

海岛高地狂欢夜

实际上，这次将要在1月25日举行的规模最大的一次“彭斯之夜”要比往年推迟了几周。一方面，因为彭斯从苏格兰请来的那些音乐家和演员的日程与举办晚会的日期有冲突；另一方面，日程安排必须迎合大众的需要，或许有些来宾根本就不知道拉比·彭斯是谁，更别提他的生日了。而且，移居此地的那些铁杆彭斯迷对于纪念日延迟两个礼拜，也不会放在心上的。只要能在马略卡举办一场打着“彭斯”名号的西班牙–苏格兰热闹聚会，他们就满足了。

这个名为“小世界”的大庄园位于帕尔马东郊通往机场高速公路的一片茂密树丛中。它优越的地理环境以及巨大的内庭使乔克最终选择它作为这次巨大的“彭斯之夜”的举办场所。

乔克十分擅长利用各种关系做事，对于他自己组织的这个大型狂欢夜更是不遗余力。几周前他就宣布会把这次活动的获利捐献给修道院，果然修女嬷嬷为这次活动进行的宣传工作取得了极好的效果。票房的保证和收益都非常喜人——免费宣传的功劳完全可以弥补几个星期前做广告的花销。此外，乔克在马略卡的名气和声望也因慈善行为而有所增长。

一切都进行得非常顺利。但奇怪的是，“彭斯之夜”那天早上，当我来到乔克家要和他一起去现场做最后的准备工作时，一进门，我就发现他情绪低落。

“说出来你都不信，你简直不知道这过去的一天我是怎么过的！”

“你是哪儿不舒服吧，现在怎么样了，乔克？”

“哎，事到临头了！昨晚上，我请来的那个苏格兰舞蹈团领队说他患了流感，高地舞舞者们也是。因此——”

“那你是没办法临时找到替补了，嗯？”我马上接话问道。

“不，不是这个问题，伙计！领队说演员和节目都可以临时调整，这些都没有问题。”

“那还有什么问题呢？”

他看着我不解的神情说：“是飞机，航班的问题，低价航空，机票不可以转让，这是一个大问题。”

“噢！就是说你要再给他们买两张爱丁堡到帕尔马往返的机票？这的确是一个坏消息，不仅赚不到钱，说不定还要亏了呢。”

乔克摇摇肩膀，拖长声音说道，“是啊，我非常抓狂！这可不容易解决。或许我只有求助修女们的帮助了。”

我咯咯地笑了。好一个老乔克——典型的老奸巨猾。“哦，慈善事业应该从家里开始，对吧？”

“太正确了！”乔克欣然接受我的说法，“是的，你应该相信这一点。”

“可惜你还是要多付两张机票钱。”

现在，微笑又回到他的脸上。他责备地看着我：“怎么可能？你可是在和我说话！拜托，我怎么可能自己出钱？”他摇摇头，“绝不可能！”

他说他争分夺秒，动用了一切他在旅游业的关系，终于解决了无法退票的问题。

“那你刚才为什么显得那么焦虑憔悴？”

“我昨天半宿都在考虑这个问题该怎么办，还能不憔悴？”

“现在一切都解决了，”我说，“祝贺你！只有你才能想到这么绝妙的点子。”

“现在，问题不但解决了，还有意外的惊喜呢！”他笑着说，“你知道的，我不会轻易罢休的，因此，我给航空公司的老板打电话向他诉说事情的经过，说如果因为无法转让机票，那我们把活动利润捐给修道院做慈善事业的计划就要泡汤了。这个老板是一个虔诚的基督徒，对于我们的做法他表示非常感动，他说不能因为机票的问题影响这次活动，就这样，他既给解决了机票的转让问题，又捐赠了两张免费的英国往返机票，作为‘彭斯之夜’的抽奖礼物。”

“唔哦！太慷慨了。不知这两个幸运儿会是谁。”

“是啊，猜猜谁这么走运吧。”乔克眨眨眼，笑了。

我疑惑地看着他：“你是不是说——”

“听着，伙计，”他打断我说，“一个人一定要相信自己。这就是在这里生存的原则。是的，这样你就会战胜一切。”

当我和乔克到达“小世界”时，他的妻子梅格和几个朋友已经在忙了。那儿的主人威利相当友善，他的员工已经开始在舞台四周布置需要的桌椅以及一些重要来宾的座席了，梅格和她的那几个朋友则在一旁着手装饰场地。她们用从帕尔马西部纳布尔格萨山上采集的欧石楠枝条与苏格兰格子呢彩带一起做成“幸运枝”，与微型的西班牙和苏格兰国旗摆放在一起，并在四周墙上醒目的位置悬挂拉比本人以及一些苏格兰标志性建筑物的招贴画。

“看上去真不错，梅格。”我一边往里走一边对她说。

“是啊，比刚才好多了，”她面朝门庭中央的手提箱，点着头对我们说，“找点事做呀！别傻站着不动手！”我知道，梅格在忙碌的时候，任何人都别想闲下来。

箱子中是一卷卷五彩的苏格兰格子墙纸。

"不要搞得太花哨啦！"乔克提醒说。

我很想知道在马略卡哪儿可以买到这些东西，但是在这样忙碌的时刻，我不好打扰他们。

"在舞台前面要摆放一些褶皱的格子纸扇，"梅格命令说，"女孩子负责折，男孩子负责挂，你，去威利那里找一个折叠梯。"

没几分钟，威利就命令他的手下送来一个梯子。

"我有恐高症，爬高就会流鼻血。还是你上去吧。"乔克对我说。

"这都没有两米高啊！"我笑着说。

"对我来说，生命更重要，伙计，还是你上去吧。"

我服从命令。

"从我这里看啊，"梅格在梯子下面说，"你的屁股真好看！怎么样，佩德罗，晚上的苏格兰短裙准备好了吗？"

她这么一说，让我想起了安托瓦妮特·麦克弗森夫人迷恋苏格兰短裙那色眯眯的眼神。我一边在梯子上工作，一边把那天发生的事讲给乔克和梅格听。

"我知道她，"乔克说，"老安妮婶婶，年轻人都这样叫她。是啊，她以前在国际学校教课外戏剧表演课。是一个十足的老色魔。"

"哦，这个人啊，"梅格插话说，"她到我们的美发沙龙来过，一个每天只想寻欢作乐的荡妇，听说她十分迷恋小男孩。”

“是啊，”我说，“森迪幸运地从她的魔爪下逃脱了，真搞笑，你懂我意思吧。”

梅格听了大笑着说：“哈哈……别高兴太早了，她今天晚上也来参加晚会，几周前就打电话预订了座位，她说绝不能错过这样的好机会。”

“啊，如果森迪听说了，你今晚就看不到他了。”我告诫他们说，“我告诉你们，麦克弗森夫人上一次可是把森迪吓着了。”

梅格咯咯地笑着说：“哈哈，没关系，苏格兰男人穿苏格兰短裙，这才是真正的苏格兰男人嘛。”

乔克严肃地说：“拜托！先别告诉森迪她会来，他今晚还有重要的事要做，他得帮我们端羊杂碎呢。”

“别担心啦，”我笑着说，“不会说的。”当时我还不知道，抵挡麦克弗森夫人的进攻根本算不上森迪当晚真正该担心的事。

“别忘了‘麦克斯波伦’啊，”我从梯子上下来的时候，乔克说，“提醒威利别忘了把它们都放进冰箱冷藏。”

梅格摇摇头。“就知道你的那些‘羊杂宝贝’！”她抱怨着说，“你们来之前我和威利就把它们处理好了。”她在一旁审视着我干的活，“嗯，还不错。”然后，她低头看看手表，“现在时间正合适，你们该去机场接人啦。”

曾经身为专业爵士乐队领队的我可以在很远的距离就辨认出一个醉鬼是不是一位艺术家。艾莉说，同类总是更容易发现彼此，虽然我觉得她是在开玩笑。但是，一位艺术家酒后的样子还是有别于其他职业的人的，至少他们在去演奏会的路上是不会摇摇晃晃的，总要找个东西扶一下吧！趁着还有些残存的清醒意志。唐纳德就是这么被看穿的。

这些乐手一下飞机都被帕尔马的环境和气氛感染了，只有拉手风琴的领队唐纳德被他的两个同伴搀扶着，眼神呆滞，两只手臂无力地搭在同伴的肩上。

“最好让他喝一些浓咖啡之类的东西，”我对乔克说，“否则他今晚什么也干不了。”

乔克沮丧地叹了一口气算作回答。我知道他和梅格花费了巨大的精力和时间安排这次晚会，更不要说经济上的开销和承担的风险了。

一个自称是鼓手的身体结实的矮个子多迪走过来解释说，不用担心唐纳德，他只是受了一点惊吓。

乔克现在看起来有一些焦躁，他自言自语道：“要是他今晚上出任何差错，我非亲手宰了他不可。”

“别担心，没问题，”多迪安慰乔克说，“我保证唐纳德下午睡一觉就没问题了，今晚的演出没问题的，你放心吧。”

过了一会儿，乔克请来的另一些演员走了过来。出现了一个熟悉的面孔——那不是因为耽搁了飞机而被森迪带回家借宿的女孩子琳达吗？

“嘿，琳达，”我笑着走上前和她打招呼，“这么巧，很高兴又见到你，没想到你这么快就又回到马略卡啦。”

琳达说她是替补，“一个姑娘得了流感，我就替补上来啦，昨天晚上才知道的。”她犹豫了一会儿，然后问道，“森迪怎么样？”

“噢，他很好，晚上你们会碰见的，”我回答说，“乔克安排他负责从厨房到舞台的‘羊杂碎’入场仪式。”我觉得她心里想的不像她的问话这样简单。

琳达眼睛亮了一下，她问道：“那他会穿苏格兰短裙了，是吧？”

“哦，是的，全套的，像查理王子一样，短夹克，毛皮袋……”

琳达向上挑起眉梢，感兴趣地问道：“所有人都这样？听着挺有意思的，”她说，“那森迪一定会非常性感，说真的，我还真喜欢森迪那个臭样子。”

我很想说她上次在我们家的时候给我们留下了很好的印象，但是，考虑到女孩子总会有自己的心思，我决定还是不说为好，一切都随缘吧！所以我改口说：“假如森迪知道你来了，我想他一定会很高兴的。”

琳达不好意思地笑了，然后急速跑出机场大楼。

乔克知道琳达在我们家的时候，森迪对她很冷淡，他说："看在上帝的分上，不要告诉森迪她来了。"他怕琳达听到，小声嘀咕着，"不然我就让你去引领'羊杂碎'的入场仪式。"

那可是一种荣誉啊，我可没有资格。我知道一旦穿上这种苏格兰短裙，特别是出现在像这样一个规模巨大的国际性聚会上，至少那些略有醉意的女士一定会认为你是"光着屁股"的苏格兰男人。我告诉乔克不用担心，我不会告诉森迪琳达和老安托瓦妮特会来。

送这些演员到达帕尔马的酒店后，回安德拉奇的路上，我觉得有一种愧对儿子的内疚感。但我同时也心怀不轨，实在太期待今天晚上啦！

查理决定不去这次聚会。他觉得参加这样一个热闹而喧哗的"彭斯之夜"的人都是些穿着奇装异服的傻子，他对我所说的"穿民族服装是一种骄傲"的观点嗤之以鼻。

"你自己小时候不也穿这种短裙的吗？"在我们一起准备出发前往"小世界"时，森迪提醒他。

"那还不都是因为妈妈，"查理反驳说，"那个时候我还能怎样，我才三岁啊。"

"你一直到七岁都穿着那种短裙。"艾莉纠正说，"真的超级可爱！"

森迪突然大笑说："是啊，特别是里面还有鼓鼓囊囊的尿不湿的时候。”

“太有意思啦，哥，”查理生气地说，“你都可以做一个喜剧演员了。是啊，当你今晚穿着那身格子呢彩裙作为‘羊杂女王’登上舞台时，一定会博得满堂彩的！”

我知道这是他们两兄弟之间相互嬉闹的一种方式，就像查理去奥布赖恩家过夜的时候一样。

“记着，你们去提托斯夜总会的时候，在高速公路上可别开快车啊！”当查理摁响奥布赖恩家镀金大门门铃的时候，森迪大声对他喊道。

查理假装打个哈欠，然后伸出中指回了森迪一个“致敬礼”。

我看看艾莉，她也正看着我，我不知道她会不会信以为真。

森迪不想让局面太尴尬，急忙说道：“好啦，好啦，我就是开一个玩笑啦。”

“希望你是在开玩笑。”艾莉说，“亲爱的好森迪，如果你知道什么小秘密，一定不能瞒着我们啊。”

森迪只是说他知道的并不比我们多。马上就要到达“小世界”了，我们自然也就不谈论查理的事了。

白天“小世界”四周繁茂的树丛给我留下了深刻的印象，傍晚的这里显得越发好看。天亮的时候，我几乎就没注意院子里那些参天古松，现在，灯光照射下的枝条和多结的树干，实在会让你感叹这些大自然创造的杰作是多么壮观。还要感谢路易斯·萨尔瓦多大公无私地购买并保护马略卡这些大自然的遗产。此时我注意到乔克选择的这个“小世界”是藏在机场燃料加工厂与本地可口可乐工厂之间的一片沙漠中的绿洲。

当我们到达这里时，那些古松底下已经聚集了许多人，他们手中拿着香槟酒杯，大家都穿着华丽的礼服以示对晚会的尊重，而且，大多数人的身上多多少少都有一些明显的苏格兰特色。不会有人看不出来的。在门庭那儿一个穿着百褶短裙的人齐全地佩着苏格兰风笛、戴着黑色毛皮帽招摇地演奏传统的苏格兰曲调，吸引大家的眼球。

我真的感到很惊讶！居然有那么多男宾都穿着民族格子裙，我和森迪因此并不显眼，我甚感欣慰。如果查理今天跟着来了，我一定会向他解释，穿着这身民族服装感到自豪，和觉得自己像是一群穿燕尾服的小蝌蚪里唯一的彩色雅痞，是完全不一样的。但并不是所有人都像我和森迪对自己的凯尔特人特色如此在意。比如乔克吧，他就很喜欢用鹿角做装饰的传统地主服饰。他和梅格一起在门口用浓重的苏格兰口音热情地与每一位来参加晚会的客人握手拥抱。乔克冲着一位穿戴随意、毫不讲究的西班牙女士说道：“浑身的厨房味儿，邋遢婆！”对方显然一脸困惑。他又抬头看了看那位夫人的丈夫，继续大胆地出言不逊。此刻我见乔克的兴致很高，早先的那一丝憔悴已荡然无存，他又是一副惯有的骄傲神情。

“小世界”的内庭中，梅格和她的朋友们把平平无奇的装潢变得妙趣横生。扩音器中开始播放充满苏格兰情调的音乐，侍者们穿梭在客人中间，大家毫无约束地饮酒聊天。

不同种类的西班牙酒摆满在长长的桌子上，乔克还把精心挑选的一些苏格兰酒散放在桌子上，并提供足够的威士忌供客人们品尝，我想罗伯特·彭斯也一定会赞同这样的做法。人群渐渐聚到长桌前，欢声笑语使节日的气氛浓郁起来。

此时，为纪念同名的彭斯，乔克走到舞台中央，拿起话筒慢条斯理地用标准苏格兰语欢迎并感谢到场的每一位给予这个晚会极大支持的来宾。他特别感谢了几位来参加晚会的马略卡政府官员和他们的太太，欢迎他们参与并预祝他们能够在此品味和体验真正的苏格兰传统文化；接下来还特别感谢了英国领事馆的官员，他微笑着说如果没有他们的慷慨和鼎力支持，今天晚会上令人兴奋的高潮就会逊色不少。

此刻到场的来宾都纷纷揣测这个高潮究竟是什么，乔克看看沸腾的人群和他们急切的神情，请来宾们起立，用夸张的动作朝角落的一扇房门做了一个非常戏剧化的引领手势，接着高声宣告：“庆祝典礼正式开始，让我们隆重请出远道而来出席今天晚会的尊贵的嘉宾——安格斯·麦克斯波伦先生。”

这时，大厅里的灯光暗淡下来，风笛声响起，来宾们跟随着音乐的节奏拍着手，大家自然分成两列为即将出场的女王陛下的忠实臣民“羊杂”麦克斯波伦让出一条通道。森迪迈着稳重的步伐跟在风笛手身后，双手高高地端举着彭斯庆典仪式巨大的“羊杂”布丁首领，在音乐与众人和谐的掌声中缓步前行。大家期待的这个“祭品”安静地躺在镀银托盘中，刚刚被威士忌浸泡过的羊皮略显灰暗，带有一种强烈的戏剧效果。

我注意到森迪走过时，艾莉的脸上掠过一丝自豪的微笑。森迪今天的表现的确非常出色，他昂首阔步、神气活现，百褶短裙在他骄傲的步履中摇摇摆摆，身边的夫人小姐们兴奋地吹起口哨，掌声变得更加热烈。他看到艾莉和我时，一种从来没有过的冷漠眼神从我们的脸上一扫而过。艾莉觉察到他的表情有一些反常。

“他一定是在后台撞见琳达了。”她的声音从嘴角挤出来。

“是啊，”我说，“而且琳达一定告诉他在机场碰见我了。”

“你总是这样顾此失彼，活该！”艾莉冷漠地说道，“知道吗，你就应该告诉他！”

“这算什么，”我提醒艾莉说，“等他发现老安托瓦妮特的时候还会更生气呢！”

艾莉狠狠地瞪了我一眼，没有说什么，她知道说了也没用。

这时，风笛的音乐声停止了，森迪把银盘子摆放在乔克前面的一张小桌子上。

乔克提醒来宾们都回到自己的位子上坐好。片刻的安静后，他念起了罗伯特·彭斯著名的《致羊杂布丁》：

> 祝你和你诚实丰满的脸好运，
> 香肠种族的大酋长！
> 在胃、肚、肠之上
> 你坐在你的位置：
> 你值得的恩典
> 和我的手臂一样长。

虽然舞台下面大多数的来宾根本听不懂他朗诵的苏格兰诗歌，但乔克仍旧十分认真庄重、充满激情地继续着他的表演。他弯腰从膝部格子呢长袜口处抽出双刃短剑，动作潇洒地拔剑出鞘，然后像舞台剧演员一样把短剑挥舞过头顶，缓步走向那“万众瞩目”的可怜的“麦克斯波伦”。

> 质朴的劳动者擦拭着刀具……

乔克的声音渐强，激动而热情。

> 准备轻轻地切开你……

人群中的来宾倒抽一口冷气，惊讶地注视着这残酷的“屠宰”场景，甚至有些女宾或一只手捂住嘴巴或扭过头去避开这一幕。乔克挥舞着的短剑渐渐向下触到“麦克斯波伦”鼓胀的表皮，然后轻轻地向上提起紧握剑柄的手，用剑尖向下滑去。

挖出你汹涌的内脏，

像任何沟渠一样……

他颤抖的声音随着短剑的切痕缓慢行进，全场气氛惊恐且静谧。

噢，多么荣耀壮观的场面，

热气腾腾、丰盈富足……

他炫耀而夺目的表演迎来全场热烈的掌声和欢呼声。乔克的动作陡然停留在最后的那一瞬间，他尽可能让这欢呼声持续更长的时间。然后，他举起一只手让大家安静下来。“现在，”他正式宣布，“女士们，先生们，举杯畅饮吧，为我们尊敬的‘羊杂先生’……”

“羊杂！羊杂！”大家欢呼雀跃，举杯畅饮！

之后，乔克提议为缅怀和追忆这位万古流芳的苏格兰游吟诗人罗伯特·彭斯静默片刻。

就这样，今晚的第一波威士忌下肚了。当然，也有人选择了红酒。挺明智的，今夜还很长。舞台下的来宾尽情地畅饮欢笑。可是，按照传统的习俗，森迪此刻与乔克和那位风笛手必须继续尽地主之谊，给来宾们敬酒，并参与到这畅饮的欢乐人海之中。

艾莉看到此情景，着急地说："他从来没喝过这么多酒，身体会扛不住的呀！"

我一言不发。我是希望十九岁的森迪能够在这样一个国际性的聚会中经受一次酒精的考验，时间将验证他的酒量。

接下来的仪式是乔克鼓动来宾们以热烈的掌声欢送风笛手和森迪离开舞台。这时，只听见安托瓦妮特·麦克弗森夫人高声尖叫："太好了，精彩的苏格兰短裙！"森迪顿时面色苍白，他又狠狠地瞪了我一眼，然后迅速溜走。

这时，乔克为这次盛大的聚会专门从苏格兰邀请来的舞蹈团演员和乐手来到舞台上，开始准备表演，他们首先相互介绍着同伴。与此同时，仪式之后的羊杂碎在辉煌后回归平淡，被带去食堂加入它的罐装"兄弟"行列，作为宴会的第一道菜，马上就要上桌了。你也许会觉得那么大场面就这样灰头土脸地收尾有点丢人，可如果真要用一位"羊杂碎首领"喂饱三百个人，只有巨大的神迹降临才有可能了，不管这位"首领"多么丰润。更何况，不会有人吃得出差别的！

乔克非常注重传统以及两个国家的风俗习惯，这一次他安排的菜谱主要包括一些典型的西班牙和苏格兰经典菜肴，除了羊杂碎拌马铃薯，还有久负盛名的西班牙海鲜饭、苏格兰燕麦饼以及西班牙著名的曼彻格奶酪。

背景音乐是小提琴、钢琴、贝斯、鼓等乐器的合奏，主要是典型的苏格兰风格旋律，偶尔会出现西班牙民歌，现场的气氛欢快而愉悦。在大家尽情享受美酒与音乐的同时，我看到梅格和乔克二人绕着场内的每一张桌子兜售“幸运彩票”，不断重申头奖是两张英国的往返机票。彩票销售很火爆。他们向购买者保证，帕尔马的那些嬷嬷将永远感谢他们的慷慨。

无论乔克怎样集中精力兜售他的那些彩票，我发现他的注意力一直都在关注着舞台上乐手们的表现。特别是唐纳德，他先前那个醉醺醺的样子已经不再，他在舞台上职业的微笑、洁白的牙齿和精湛的演奏令乔克心中的一块石头落了地。唐纳德不时拿起身边的矿泉水瓶啜饮几口，鼓手多迪朝着乔克眨眼微笑，那意思好像在说：“放心吧，老板，我们是非常专业的乐手！”

这一边，侍者们开始清理桌子上的餐具，大家喧闹的气氛渐渐趋于平静，歌手肖纳走上舞台开始演唱，这是乔克特意为晚会安排的一组经典苏格兰传统民歌，舞台下的来宾个个兴致勃勃地跟随音乐“啦——啦——啦”地哼唱，气氛轻松祥和。

一组节目演出完毕后，是短暂的幕间休息。接下来是风笛手的节目，这是他第二次表演，那顶黑色熊皮帽倾斜着戴在头上，随着旋律皮毛微微飘动，旋律伤感，他那努力的样子表示一曲结束后他没少给彭斯敬酒。不过好在他也没败了风笛手的名声，演奏一切正常。

琳达与另一位姑娘穿着传统民族服装表演的剑舞更是引起了来宾们极大的兴趣。她们在舞台上挥舞刀剑，侠客般矫健的舞姿博得一阵阵热烈的掌声。

“有一点醉了，”乔克自言自语着走到我的身边说，“大麻烦啊！”

我莫名其妙地看着他，一脸不解。

他断断续续地说着：“你的森迪，在厨房。还有她——琳达，那个舞蹈演员，还有一个西班牙女服务生，有点醉了，这可是一个大麻烦啊！”

“到底谁醉了？”我试着从乔克的口中打探出一点消息，“是琳达还是那个西班牙女服务生啊？”

“你的森迪，”乔克说，“喝了太多的威士忌。”

艾莉瞪我一眼说：“我说过吧！”她转过头去又瞪了乔克一眼说：“你应该更清楚吧，他还是一个孩子——你可是老师啊！”

乔克似乎料到了艾莉的反应，所以他也不客气地说道:“这可不是我的责任，亲爱的，他已经不是一个小孩子了，他这个年纪应该很清楚自己该做什么不该做什么啦！”

艾莉有些懊恼地笑了。

但是，不管怎么说，森迪不是因为刚才的敬酒而醉的，乔克解释说，他是为了躲安托瓦妮特·麦克弗森夫人，就在厨房里又多喝了许多威士忌，“借酒壮胆，你是知道的。”是啊！森迪也到了这般年纪，再加上那个西班牙女孩。

“你是说他们拥抱亲吻啦？”我问道，“你是这个意思，对吗，乔克？”

乔克耸耸肩，没有正面回答:“都是威士忌啊，”他急忙补充说，“别误会我的意思，那个西班牙女孩真漂亮——大大的棕色眼睛。一个学生，来做兼职服务的。”

很显然，艾莉这个时候不关心森迪和那个当地女孩子之间的浪漫故事。她焦急地问:“出什么事了？”听得出她声音有些颤抖，“你不是说有什么麻烦吗？”她从座位上站起来说，“走，我们去看看森迪。”说着，她抓住乔克的胳膊说，“我不希望有警察介入。”

“静下来，安静下来！”乔克用手轻轻地拍拍她的肩膀，哀求着说，“坐下来放松一些，没什么大事，而且这儿也没有警察，好吗？”

艾莉不情愿地坐了下来，她用焦虑的目光看着乔克，希望他快点说出森迪到底怎样了。

乔克用手指了指舞台，两个舞蹈演员正在风笛的伴奏下表演三拍子的乡村吉格舞。“是她的错，”乔克说，“是琳达。”

“你说什么？”艾莉疑惑地问道。

“啊，你知道，我是说格拉斯哥的那个姑娘，她真是厉害极了！”乔克继续说道，琳达发现森迪离开大厅，马上就跟着他走了，或许她是希望在重逢时有那么一点点惊喜吧。她轻手轻脚地跟进厨房，一进门，正好看到森迪和那个西班牙姑娘含情脉脉地站在大冰柜前面动手动脚。

艾莉抬起头，眼睛望着上空：“哦，别说了，太尴尬啦！”

“噢，也就扔了几个盘子。”乔克不希望艾莉为此事烦恼，他只是轻描淡写地说道。

艾莉惊呆了，“什么？你是说琳达向他们扔了几个盘子？”

“是啊，一个厉害丫头，”看着艾莉无精打采的样子，乔克又接着说道，“但是，别担心！亲爱的艾莉，没怎么样，那几个盘子有保险。”

艾莉长长地呼出了一口气，“哎，感谢上帝，没有出事。”

乔克接着说：“就在琳达拿起盘子的那一刻，外面风笛的音乐响起，琳达的剑舞表演就要开始了……不然，厨房里怕是要发生一场血战啦！”

艾莉和我都惊恐地望着乔克。

乔克大笑：“你看看你们两个的表情，”他说，“亲爱的，天哪！你俩怎么什么都信！”

这时，苏格兰舞蹈团的表演结束了，乔克离开我们走向舞台，边走边说：“哦，对了，森迪让我转告你们一声，他要晚一些回家，他和那个西班牙姑娘要去外面约会。”说着，他走上舞台宣布即将开始的下一个节目。

“艾莉，你不是希望森迪能找一个西班牙姑娘吗？你美梦成真啦！”

艾莉不耐烦地晃着头说：“哎，我都快透不过气来啦！”她顺手拿起一个空杯子说，“给我倒点红酒，我从来没像今天这样想喝上一点。”

“阿门！”我转过身帮着梅格一起准备乔克即将开始的抽奖活动。

此时，酒足饭饱的来宾们餐后的那一点点倦意已经在欣赏精彩节目的同时消失了，整个会场的气氛因即将开始的彩票抽奖而再一次活跃起来。乔克在这方面很有一套，他不时地用幽默滑稽的语言挑逗着来宾，刺激他们的胃口。

白天乔克暗示过我今天这个彩票奖品很可能就进入他自己的腰包中了，因此，现在这个活动引起了我极大的兴趣。我几乎等不及要看他们到底使用什么把戏来骗台下的那些来宾。我猜想可能是梅格会从帽子里抽出她自己的那张票。然后大家肯定假装反对闹他，乔克再以他一贯的调皮化解这一切。

事实证明我误解了乔克。他当众宣布的结果完全出乎我的意料，这两张英国的往返机票被一位身体虚弱的西班牙老妇人赢得。此刻，在场的每一位来宾，包括航空公司的代表，一起祝贺她的好运气。乔克隆重宣布："彭斯之夜"的全部获利将无偿地捐给马略卡修道院。他本人也获得了热烈的掌声。接下来，在乐队的伴奏下，来宾们结队翩翩起舞，聚会又掀起了另外一个高潮。

一切活动正常进行，我看见乔克在一旁自鸣得意，十分满足的样子。

我走过去向他表示祝贺。我告诉他白天我是真的相信了他的话，还以为这个抽奖活动就是一个骗局。我笑着说道："你真是骗到我啦，乔克。"

乐队的声音震耳欲聋，《雄赳赳的陆军士兵》音乐已经响起。乔克大声地冲着我喊道："我早就告诉过你了吧，伙计，要相信一切！"但乔克又透露说那位赢得机票的老妇人是梅格沙龙里的常客，刚巧有恐高症而且晕机，他的拇指和食指快速地摩擦着，"你的一些硬币确实进了她的钱包，然后……"

我不知这最后的说法是不是真的，说不定只是个维持形象的白色谎言，但是，他现在的确十分得意。突然，一声巨响，音乐戛然停止，一阵令人恐怖的尖叫声从舞台上传下来，乔克立刻惊恐地向舞台上望去。

唐纳德从椅子上摔了下来，他四脚朝天地仰卧在舞台上，呆若木鸡地嘿嘿傻笑着，身上的手风琴同时也被狠狠甩在了地上。

“这个蠢货！所有的好事都被你这个混蛋酒鬼给毁了！”乔克咆哮着冲上舞台。这时，其他几个乐手已经把他从地上架了起来，乔克恼怒地用手狠狠地敲着他的脑袋问道：“怎么回事，怎么会这样！”

鼓手多迪告诉乔克，唐纳德在舞台上一直啜饮的那瓶矿泉水实际上全是伏特加，多迪抱歉地说：“实在是对不起，我们谁都没发现。”

乔克根本不听他的解释。他扫视一下舞台下面的来宾，尴尬地嘟囔着：“现在我们该怎么办？”他的表情痛苦而焦虑，几乎哽咽了。

事情发生得如此突然，乔克站在那里束手无策。梅格走过来对其中一个乐手说：“赶紧把那个手风琴拿过来。”说完，她转过身对乔克说：“你来吧，现在你就是乐队的头儿啦。”

“可是……”

“是啊，我知道，你已经很多年没有演奏过手风琴了，但现在的情况你也看到了……”梅格拍拍乔克，鼓励他说，“来吧，我相信你，一定没有问题！这不就像骑自行车，一次学会，一劳永逸！嗯？”

“可是……”

“没有什么可是的，拿起琴来，背上带子，放松点！来吧。”

就这样，在梅格的命令下，乔克重操旧业。他的表现无不令人惊叹！尽管时有错误出现，但是，台下的来宾热情不减，掌声和欢呼声此起彼伏。乔克的情绪也逐渐高涨，他在毫无准备的情况下与其他乐手即兴配合得可以说是天衣无缝。一曲接一曲——《轻快的八人舞曲》、《苏格兰高地波尔卡》、《戈登之舞》以及其他的苏格兰乡村舞曲。

谁能想到意料之外的事故现在不但化险为夷，而且乔克的救场还为晚会大增异彩，竟变成一个纯粹的苏格兰音乐盛会。舞台上的乐手们更是兴奋地以苏格兰传统民歌旋律为基调即兴地表演着。鼓手多迪模仿一位苏格兰传奇明星的表演引起台下来宾哄堂大笑；小提琴手双脚轮换着跟随旋律的节奏摇摆身体，如同爵士宗师斯蒂芬·格拉佩里再现。可令人惊讶的是，这场表演的主角竟然是那位风笛手，他最开始的严谨风格因为持续摄入威士忌变得随意凌乱，最后他完全抛弃了无聊傲慢的正统技法。苏格兰风笛演奏就在酒精的催化下，变成了爵士乐现场。

台下的来宾们跟着舞台上的旋律疯狂地跺脚助兴。尤其是那位演员出身的安托瓦妮特·麦克弗森夫人，苏格兰短裙在旋转的舞步中“四处盛开”，把她迷得如痴如狂，她在离舞台最近的地方尖叫着拍着双手。

“我特别失望今天没能和你的儿子森迪聊上几句。”在晚会即将结束，大家齐唱《友谊地久天长》后，麦克弗森夫人碰见我们时说道。

“是啊，他匆忙赶去约会啦。”艾莉客气地回答。

安托瓦妮特没有理会艾莉说的话，她只顾色眯眯地看着我说：“怎么样，一发入袋吗，帅哥？”

“噢，你说斯诺克啊，”我谨慎地回答她说，“没有，现在还差一些，不过，我想，很快。”

“太妙啦！”她眨眨眼睛，又说道，“我希望你能够享受这样的乐趣啊！”

过了一会儿，那位风笛手来到安托瓦妮特的身边问道：“介意吗，美人？”他言语含糊，有一些醉意，眼睛直勾勾地盯着安托瓦妮特那化着浓妆的脸庞。

“我觉得你的酒店一定很舒适，英俊的苏格兰先生。”她柔情地说着，然后在他的脸颊上轻轻地啄了一下，挽起他的胳膊离开了。

“哼，他第二天早上起来的时候看见她会是什么感觉呢？”艾莉有点刻薄地说道。

“或许都一样吧！”我说。一回头，我看见乔克正在与几个客人勾肩搭背地说笑，看得出来这些人就是那几个马略卡的达官贵人，他们簇拥着互相吹捧。是啊，在这种时刻谁还会吝惜几句赞美之词呢！我想乔克一定也为自己的成功而倍感自豪！

✤✤✤

第二天一早，森迪吃早餐时迟了一些，我看着他蓬头垢面的样子说：“你看起来很累啊。”

“你约会的那个西班牙姑娘怎么样啊？”艾莉试探着问道，她管不住自己的好奇心。

“没有的事。”森迪嘟囔着。

说着，他一屁股坐在椅子上，用一只手托着头。

“是不是那姑娘放你鸽子了呀？”艾莉还是忍不住问道。

“对，老妈，”森迪深呼一口气，吃力地说道，“就是这样……”

到底发生什么事啦，他这样闷闷不乐？森迪说那姑娘在厨房说她做完工要先回家。他们约好半个小时后在“小世界”外酒吧的天井见面，然后一起去帕尔马的夜总会。他说姑娘来自西班牙大陆南部山区，出自一个传统的大家庭，按照他们的旧习俗，出嫁前的姑娘约会时一定要有家人陪伴，以保证姑娘婚前的纯洁。

“当我按约定的时间来到酒吧时，”森迪说，“只见她和其他几个人一起坐在天井，她告诉我说那是她的父母叔婶和三个哥哥，天哪！庞大的安达卢西亚家族。”

“或许人家只是感兴趣，想看一看苏格兰短裙。”我心中暗自想笑。

森迪也被我的这句话逗乐了，他说他们就在一旁看着我们两个人，所以他自己都不知道那段时间是怎么熬过来的。没办法，森迪说他只能又一次溜掉了。

艾莉此时就像在听一个肥皂剧故事，她感兴趣地打探道："可是，假如你那么早就离开了晚会现场，那为什么这么晚才回来？那时我们都已经回来很长时间了。"她看着森迪，"我希望姑娘的那三个兄长没有阻止你们约会。"

"没有，没有，老妈，"森迪说，"不像你说的那样。"

"那我倒想听听后来怎么样了。"艾莉期盼着后面的故事。

"你不知道，老妈，因为之后发生的事比挨一顿胖揍还要糟糕。"

到底发生了什么事？森迪说他离开"小世界"后就打车去了帕尔马那家他和球友们经常去的酒吧。他说没想到这一身苏格兰的短裙装束会惹来麻烦。或许之前在"小世界"的那些威士忌酒冲昏了他的脑袋，在那儿，他和遇到的几位球友又喝了几杯，然后和他们一起去了夜总会。森迪说他不知道这是帕尔马最低俗的一家脱衣舞夜总会。他说朋友们嘲笑他，而且不相信他是第一次去那样的地方。

森迪低下头，然后不停地搓着自己的额头，脸上是一副被羞辱和受了伤的神情。"为什么呀！为什么？"他呜咽着说，“我居然吃了豹子胆，走上舞台邀请那位舞蹈演员和我们一起喝上几杯。”

“又喝威士忌啦？”我有一些替他担心，希望森迪没听出我的声音因焦虑而嘶哑。

“我再也不喝那玩意儿了，”森迪说，“我从来也没喝过那么多，卡拉这个魔鬼，”他抽泣着抱怨说，“啊……啊……我头好痛。”

如果不是我太了解森迪，我还真会以为接下来发生的是小说里的情节呢。

脱衣舞女卡拉表演结束后又来到他们桌前一起喝酒聊天。她坐在了森迪的身边，很明显，她非常喜欢他，森迪承认自己对她也有好感。他说，除了她在舞台上诱人的肢体表演，走下舞台的卡拉更是让人着迷，黑黑的眼睛、长长的睫毛、漂亮而飘逸的头发、黝黑的皮肤以及性感的声音让他迷得双腿发软，身体到了即将崩溃的边缘……

森迪说卡拉开始在桌子底下用手指轻轻地撩拂他的膝盖，然后手指缓慢地向上熟练地捏掐他裸露的大腿。她用那沙哑的性感声音贴着他的耳朵说：“对我来说，亲爱的，你这个苏格兰短裙实在是很迷人啊！”

“这个不要脸的荡妇！”艾莉愤慨地喘着粗气说，“你该扇她一个耳光！”

这可不是森迪的风格，特别是在朋友面前，他绝不会这样做。夜总会的通风设施很差，四周昏暗的灯光、嘈杂的电子音乐、卡拉那不间断游走的手指，夹杂着威士忌酒精的作用，森迪顿感眼花缭乱，昏昏沉沉，不能自已，他恼怒地挣脱开卡拉，逃了出去。

“他绝对想不到吧。”森迪听到同伴在卫生间门口哄笑。

“那时我没仔细听，一个耳朵进，另一个耳朵就出了，”森迪说，“我自己糊里糊涂地也不知道他们说的‘他’指的是我。我只顾用冷水洗脸，根本不知道身后进来了其他人。”

艾莉一面为森迪煎面包一面紧张地看着森迪，关注着接下来发生的事情。

森迪继续讲述他的故事……

“哥们儿，我以前从来也没看过苏格兰高地舞！”森迪听到一个可怕的声音操着熟悉的西班牙口音说，他抬起头在镜中望见身边正在小便的人色眯眯地冲着他说话。

“卡拉？”我问道。

艾莉目瞪口呆：“森迪，你是说卡拉是一个……”

“是的，老妈，这个女‘卡拉’实际上是一个男‘卡洛斯’！哼，他还是个异装癖者——迷恋苏格兰百褶短裙，他的工作就是扮成女性在舞台上表演，好招揽客人。难怪当我跑出洗手间的时候，大家看着我都在歇斯底里地大笑不止，说实话，我一路狂奔，在波恩大街附近才搭上出租车，差不多跑了大半个帕尔马城呢。”

听到这里，艾莉和我都情不自禁地大笑起来，可是森迪觉得这一点也不好笑。我实在觉得森迪今天的经历的确非同寻常，就此替他打了一个圆场。

“森迪，”我说，“不管怎样，你的这身扮相还是很具诱惑力的嘛！男人中的男人！”

—— 13 ——

篮里之春

十五个月前我们到达马略卡时，正赶上一场罕见的风雪，据那些年老的邻居说，这是他们记忆中马略卡的第一场雪。这一场风雪使我们有一些恐慌——难道刚刚离开的苏格兰的冬天被我们带到了一千五百英里之外的地中海海岛上？接下来更大的沮丧是夏季整日的阳光明媚，毕竟在烈日下的田里一周接一周地劳作和在阳伞下喝着冰镇饮品放松休息完全不是一个概念。夏季在马略卡度假的确是最明智的选择，就像圣地亚哥·卢西尼奥尔那句著名的“白日阳光灿烂”。不过，现在我们已经逐渐适应了这里乡村生活的节奏——你最终必须信守季节与气候的规律。比如说在这里，西班牙人午餐后的午睡，特别是在夏季，绝不是因为懒惰，而仅仅是个简单的常识而已。

现在已经是我们在这里的第二个冬末了。还记得我们刚搬到这里来的第一个冬天，十一月初的一天，屋外飞舞的雪花把我们刚刚摘下的橘子裹成圆圆的白雪球，山谷中棕榈树变成了一颗颗棉绒絮朵般爆炸的手榴弹。所以艾莉接下来的话让我大吃一惊。

只听见艾莉喊道："彼得，看，下雪啦！"

"你相信吗？"我咬着牙从嘴角挤出这几个字，"这恐怕是山谷里经历过的第二场雪，我们刚来就都赶上了，你说这是不是不吉利啊？"

我正全神贯注地忙着在储藏室的墙上钉一个架子，所以根本没有注意到窗外的景象。

"那我们的游泳池就要停工了，"我对走廊里的艾莉说，"今天下雪，明天就是泥，那游泳池不就成了一个泥塘了嘛。"

我的这几句沮丧的话没有打消艾莉的欣喜。她进门时那副快乐的样子充溢着《绿野仙踪》里桃乐丝的活泼任性，她的胳膊上挽着一个我们平时摘橘子用的小柳条篮，可是里面并没有橘子。

"看，"她和风细雨地说，"我给你带来了一篮'雪花'！"

我为她的举动而感动，多么浪漫而美好！这就是大自然带给海岛的奇迹，她带给马略卡生机，预告着春天的来临，展现出如同圣诞卡片上梦幻般的景色。但是，这可不同于圣诞卡片上雪花飘落在英国古老街道和房子上的那种白茫茫的寂静。

“快看吧！”艾莉动情地说，“躲藏在云后的太阳跑出来时，漫山遍野都是这些粉白的花朵，”她指着篮子里盛满了的“雪花”说，“你看，多美啊！就像是从天上撒落下来的花瓣。”说着，她把手中的篮子塞给我，“太美啦！树上的叶子长出来之前，这些花朵就冒出来了。不是很美吗？”

“我希望老佩普没看见你从树上采摘这些花朵，”我半开玩笑地说，“要是让他看见了，他又要怪我们浪费钱了，这些小小的花朵在他看来可以变成多少杏仁呀！”

“是啊，和他的那几百棵杏树比起来，我们只有这么可怜的几棵杏树，难道还要靠它们来赚钱吗？所以多几朵，少几朵，并没有什么关系。”说着，艾莉拿起一个瓷瓶走到水槽前，倒进一些水，然后把手中那些盛开的杏花枝插进瓷瓶中。“不管怎么说，”她一边在酒吧台上摆放花瓶一边说道，“这些花还可以再开几天，美化我们的环境，谁管他老佩普是怎么想的呢。”

她从我手里夺过我干活用的电钻说：“这个架子等等再说吧，”说着，她拉着我走出储藏室，“走，我们一起去赏花，就像旅游指南书上说的那样，一年就这么一次啊。”

先前的日子里，我们一直忙于橘园的工作，所以，去年二月，我几乎根本就没有留意过盛开的杏花，这理所当然是马略卡的一道美丽风景。这一次，要不是艾莉以“工作是为了更好地生活”这个原则强迫我放下手中的活出来放松一下，我哪有这份闲情雅致来赏花呀！

修道院是一个虔诚的庇护所，这样的庇护所遍及马略卡的山峰顶上。最著名的当属建在小岛南部兰达山山峰上的库拉修道院。修道院海拔五百多米，是岛上最圣洁的地方。由于历史上与 13 世纪神学家拉蒙·鲁尔的渊源，库拉修道院备受尊崇。不过，近些年来，来此地朝拜的虔诚的朝圣者人数远远不如来此观光的旅游者、想把它当便宜的青年旅馆的年轻人，甚至还有来吃宗教仪式上食物的当地人。没错，修道院中，如同马略卡其他地方一样，也设有餐馆和酒吧。最初建立这些商业设施仅仅是以复兴宗教信仰为基本目的，后来慢慢也变得想填饱人们的肚子。难道这种实用主义的做法就要受到谴责吗？都说胃是通往心的路径，谁说胃就不能也通向灵魂呢？

我们之所以今天行驶六十几公里从安德拉奇前往兰达山，并非为了接受精神洗礼也非果腹所需。好吧，不完全是……

穿过帕尔马环城高速公路之后，我们向东径直行驶在 C715 公路上，路过阿尔盖达小镇的岔道后向南行驶，前方就浮现出兰达山的轮廓。从大道下来时，我发现艾莉露出了笑容，我怀疑她提议这次旅行暗藏玄机。尽管我已经把她的用意猜得八九不离十，但我认为此时应当保持沉默。

埃斯普拉一带高大简朴的风车是马略卡中部平原上一道古朴的风景线，四处散落的农居、路旁斑斑点缀着的石头围墙以及片片的绿草、黄花、粉花，构成了一幅优美的田园风景画。我们以前也多次经过这里，夏日里茫茫的田野中覆盖着罂粟花朵以及野生的金盏花朵，美丽迷人，但我们从没有留意过二月里盛开的杏花竟也如此动人。自然造化万物，现在杏树上稀秃的枝叶犹如灰姑娘骨瘦如柴的身影，但簇团盛开、有如魔杖般飘来的“花朵公主”让我在这粉白色浸染的仙境中迷醉。

在进入盘山公路之前，我们必须穿过兰达一带的小山村，依偎着山坡的小教堂旁有一家名为兰达酒窖的小饭庄，这是一家马略卡典型的农家饭庄。从这里的公路向上盘行还有一家名为兰达雷科的饭庄，同样也具有典型的马略卡乡村风味。兰达雷科饭庄的老板马诺洛·萨拉曼卡以更昂贵精细的菜品吸引过路游客来此品尝马略卡中原地带的美味佳肴。人们大可各取所需，比起这两家独具特色的饭庄，我相信山坡上的小教堂更是生活在这片风景宜人的山村居民的精神和心灵寄托。

这里的一草一木都是那样质朴宁静。这里的特别之处在于，与岛上清一色蜂蜜涂色的石头房屋不同，这一带的房子更接近于一种浅灰色，即使在最炎热的夏日，也自带一丝清凉宜人的雅致。泉水叮咚，古老的石质水槽把历史的印记深深植入这片苍翠繁茂的乡野中。是啊，几百年前僧侣们就选择了这一片净土，真是充满了智慧。

沿着这条蜿蜒的乡村小路继续向前，不久就进入了植物稀少、岩石秃峭的盘山路段，吐绿的矮灌木丛中偶有淡黄色乳香黄连木闪烁，这些易于生长的草本荆棘植被点缀着青山灰石，壮观绮丽。

气势宏伟庄严的修道院大门回廊和装饰古朴的礼拜堂让人过目难忘，艾莉和我没有在此驻留，而是径直穿过庭院来到浩大的后庭院，呼吸起大自然清新怡爽的空气。

“尽情享受感官盛宴吧！”艾莉对我说。

在这触手可及的晴朗天空下，你几乎可以饱览马略卡全岛的风貌，最北端的阿尔库迪亚海湾、占据了整个西部天边的特拉蒙塔纳山脊以及东方的莱万蒂高地尽收眼底。

第一眼望见这绚丽壮观的画面时，你一定会惊讶这变幻莫测的大千世界是多么曼妙美丽。据不完全统计，马略卡全岛有八百万棵杏树，尽管有人说只有六百万棵，但也有人说真实的数量还要翻一番。从这里望去，鲜花盛开的海岛的确令人难忘！

埃斯普拉平原上风车灌溉润泽着富饶肥沃的土地，那里的茫茫田野覆盖着谷类、蔬菜，一派繁荣和生机勃勃的景象。另一端是从摩尔人统治的时代就种植的杏树，“雪花”棉絮般飘撒在干枯的山野上。

我用无限的深情赞美艾莉的明智之举。

“多美啊！”艾莉的语气中显然除了赞叹还有其他意思，她谨慎地说道，“你觉得怎么样？”

“是啊！一切尽收眼底。”

艾莉望着车外，眼中满是憧憬，“是啊！”她沉思了片刻说，“拉比·彭斯诗中的描绘真是惟妙惟肖：‘快乐就像罂粟花，花朵溢泻传播，或汇成雪花的江河，或融化于未来的记忆。’”

惊愕！我在T字路口拐入乡村小径，停下车。“我从来不知道你还是一位彭斯迷啊！”我表示怀疑地看了她一眼。

“我不是，”她有些兴奋地回答说，“我只是引用了‘彭斯之夜’那天菜谱背面的诗。就是用鹅毛笔书写的那一段。”

“好吧，从阿尔盖达到帕尔马的这条路上有许多吃饭的地方，而且都是那种周末城里人喜欢的乡村风味的饭庄。但是，嗯……为什么我们不能换一条从没走过的路回家呢？”

“换没走过的路回家？”艾莉的声音里有一丝恐慌。

现在，我知道我先前的预感对了——艾莉这次出游另有企图。我对她说：“是啊，柳奇马约尔是一个大镇子，我们不妨在那儿找一个酒吧坐坐。”说着，我把车调到一挡，转向左边的一个岔路口，“从这里向下开几公里就到了。”

艾莉一只手突然把住方向盘猛地向回转，她抗议说：“阿尔盖达不是这条路。”

我嘿嘿地笑着说："原来你早有计划啊！"

艾莉此时的表情就像兰达教堂中一位圣徒弄碎了一只玻璃杯一样无辜："计划？"她挑起眉梢提高声调重复着，"计划？"她用手轻扫着发髻说，"我？我能有什么计划？"

"好吧，好吧，"我无奈地说，"你赢了。"我把车掉回头来向右转，"我们去阿尔盖达，让你开心到底吧。"

"家常菜馆"的广告牌就竖立在阿尔盖达旅馆门前，它明确地告诉行人这里是一家名副其实的乡村饭庄，就坐落在阿尔盖达村口 C715 的路边上。我得承认，我和艾莉一样想再次尝一尝这里的美味。从它的名字上可以看出，这家旅馆早期是专门为从帕尔马驶往东部工业小镇马纳科尔长途旅行的游人提供住宿的一家小客栈。近些年，汽车工业的发展缩短了时间和空间上的距离，人们不需要费时费力地长途跋涉，单程一小时内即可到达，因此，这里自然就从住宿服务转向餐饮经营，但是，说"经营"，就有些小看了这古老又有趣的饭庄。

由四根柱子支撑的前庭门廊是开放式的，建筑的右面在早些年间是拴牵驴马车的场地，现在被发动机轰鸣的汽车占用。但你一旦走进餐厅，墙壁就把一切噪声都隔绝了。餐厅里人声鼎沸，掩盖住了一切别的声音。如今，雅致的红木家具使这里充满古朴温馨的情调。我们以前也来过这里，要不是安德拉奇太远，我们会来得更勤。

还没等进入大厅，艾莉就盯上了酒吧台上饭庄自己烘烤的家庭蛋糕，嘴里呜噜呜噜地哼唱着，舌头已经忍不住诱惑地舔了舔嘴。

“是不是馋啦？”我提醒她说。

“怎么不呢？”艾莉的眼睛始终没离开过玻璃罩内的糕点，就像被施了魔法一样，“从山上下来的时候我就一直惦记着这个事。”

“是啊，我能理解。可是这和我肾病之后你的态度完全不一样了，你不是不让经常在外面吃饭的吗？”

“那是两回事。”

“什么意思？”

“因为蛋糕对你的肾没有影响。”她不等我开口就又接着说，“这儿的蛋糕太好吃了，就是吃死了我也心甘情愿。”此时她把眼睛从蛋糕上移开，扫了我一眼说，“或者你给我指出一条更好的通往天堂之路！”

我没有回答，转身去了洗手间。

回来时，艾莉已经点好了她的那份糕点，令我吃惊的是，她避开了平时喜欢的含有奶油以及蜜饯果酱的所有糕点，只相中了马略卡最具特色的传统食品英莎伊玛达螺纹面包，它的基本成分包括面粉、酵母、蛋黄、糖和猪油，制作工艺完美而独特。艾莉看着那些金黄色松软轻柔的糕点出炉，毫不犹豫地决定，就是这个啦！尽管其他的诱惑触手可及……

“嗨，”我好奇地问，“你是不是怀孕了？”

艾莉瞪了我一眼说：“无聊，快点你的东西吧。”

我知道这里每天都制作新鲜糕点，我自己喜欢比较开胃的食物，因此，摆在那儿的由蔬菜、鱼、肉等原料加工制作的类似于比萨的食品就是我的最佳选择。

“噢，我再来一杯热巧克力，英莎伊玛达配上热巧克力……太好啦！”

“可卡”是马略卡传统食物，类似于比萨，但不同于意大利比萨的关键是可卡不用奶酪，另外，可卡是长方形的，很薄，用胡椒汁浸揉过的面饼上面撒满洋葱、番茄汁和蒜片，有时还会撒上一些嫩菠菜或是瑞士甜菜，再进行烘烤。口感就像名字一样令人愉悦。今天我在阿尔盖达旅馆点的这一块可卡的口感绝对一流，吃了一块我又想吃第二块。艾莉此时也尽享着英莎伊玛达的美味！

我看时间已经不早了，就起身对艾莉说：“你选的这个地方不错，但时间不早了，我们还得赶路。”

艾莉朝餐厅那边望了一眼，用乞求的目光对我说：“或许我们还能……”

“不行！我知道也许餐厅里的菜肴也像这儿的糕点一样好吃，但我们不能再花两个小时坐在那儿进餐了。”此时我只有用传统的苏格兰道德准绳对付这“明日复明日”的地方习俗了。我对她说:“走吧!艾莉，我们不能再拖延了。”

很勉强的艾莉起身准备离开，但是，她的眼睛又转回酒吧柜台，“我觉着这儿的东西实在很特别，我想……我们应该带一些饭店自制的果酱和那种特制的甜酸酱回家。”她提醒我，“你看那瓶盖上的五彩格子棉布罩多可爱啊!”

“好吧!好吧，”我一边向外走一边说，“我先去启动车，一会儿见。”

过了一会儿，艾莉走了出来，手上两个鼓鼓囊囊的塑料袋中不仅有果酱瓶，还有两个糕点盒。我好奇地打开其中一个，里面有九个奶黄色的软球。

“烤蛋饼?”我疑惑地问道，“怎么想起买这个了?”

“不是烤蛋饼，傻瓜，是杏仁蛋糕，也是马略卡的一种特色糕点。”艾莉舔舔嘴唇说，“里面有大块的生奶油片……特别好吃!”

我用责备的目光望了她一眼，“我就知道你不会只吃一个英莎伊玛达就了事。”我失望地摇摇头，“哎，我太了解你了!”

“好了，好了，别说了。”艾莉有些内疚，急忙打开另一个盒盖说，“看!我还特意为你买了一盒。”

“但我不喜欢吃甜点，你知道的。”

“嗯，不过，你一定会喜欢这个。”她小心翼翼地拿出一块，“看看，是松糕，一块厚厚的蛋奶冻布丁，焦糖和果仁做的，亲爱的，你一定会喜欢。”

“不一定吧！这东西对我来说太腻了。”

艾莉笑着对我眨眨眼睛，“你知道吗，它的名字叫‘威士忌松糕’。”

我低下头来闻了闻，“你不是又上当了吧，我怎么没闻到威士忌的味道啊。”

艾莉得意地抿着嘴，“因为这里面根本就没有威士忌啊，这其中可是有秘密的。”

“你说说看，艾莉。”

“没什么啦，关键在于你自己——威士忌加多加少由你自己决定呀。”

我竖着耳朵听她说。

“那儿的一个女士告诉我，你可以在松糕上面自己洒上一些威士忌酒，这样就可以中和一下糖分和油脂，她就是这样说的，真是太奇妙啦！”

我高兴地笑了，“哎呀，太好了！回家后我们一起享受这美妙的时刻吧。”

还真是奇妙！那天我们回家后就试着把威士忌浇洒在松糕上，那种甜腻腻的口感立刻就消除了。我必须承认这种吃法要比我们苏格兰那种在燕麦粥里浇上威士忌的传统吃法更美妙。吃过晚饭，艾莉和我一起散步时我还一直沉浸在这愉悦的感觉中。

天已经黑了，一轮满月隐隐悬挂在西部加拉法山上的天际。远处丁零当啷的锡铃声把我从“威士忌松糕”的幻梦中摇醒，我想起了我们来到马略卡的第一个圣诞夜。那天的天也是这样黑，夜也是这样静，星星也是这样闪亮，我也是站在这里，听到老佩普和他的羊群在一起轻声地说话。这件事一直深深地影响着我，我感动不已——我们是如此幸运，能够在犹如世外桃源的山谷里体验千百年来牧羊人的生活。

今天，我同样体会到这样一种感动，尽管现在还没有走出冬天，但是，马略卡大自然的魅力和美食的诱惑使我不得不感叹这里的乡村生活是多么奇妙和美好！

“快看！”艾莉在我身边说道。

我顺着她指的方向看去，幽静的山谷中，层层梯田上片片古朴的杏树花朵在月光的沐浴下像披上了一层银蓝色的蛛丝纱雾，天空中银河系涟漪荡漾，如同夏日微风吹拂着的湖泊，梦幻般的景色令人迷醉，心旷神怡。

我们谁也没说话，也不用说话。我们两个心里都清楚得很，生活是如此美好，可又是何等地无奈，我们不得不去考虑“市长府邸”的未来，但美好的瞬间会永远定格在记忆的海洋里，有时，只是有时，上帝创造的最美好的体验是完全免费的。

14

顺其自然

我们采摘最后一筐橘子是在三月中旬，下一个收获季要等到十一月份才开始。接下来几个月的时间里，我们的收入还是一个未知数！这将由橘子以外我们还不是很熟悉的一些副业生产来决定。我们决定种植一些夏秋季节易于收获的比如杨梅、樱桃、梨、杏、柿、石榴、枇杷、无花果、杏仁以及角豆等水果和农产品。这样小批量混杂的种植所带来的问题是，我们不能直接交货给批发商，除了偶尔他们仅仅需要少数一两箱来填补其他大客户的订单。

很显然，这些水果和农产品只有靠我们自己在农庄门前叫卖，或是每个星期三早上定期到安德拉奇早市上换取一定的比塞塔。但是，这就是旧时代的农庄生活——简单而宁静，只有一头驴作为交通工具，在农庄只有依靠房前屋后养猪养鸡、在果园树下的空地里种植一些蔬菜来维持自家日常生活所需，就像我们的老邻居玛利亚和佩普他们那一代人所经历的一样。那时，生活在这里的农民一代一代就这样生存繁衍，当地人相互并不陌生，这家的女儿嫁给相隔几里地之遥邻居的儿子，一年甚至终生或许只能去帕尔马一次……是机械化工业的进程和旅游业的发展改变了这传统而古老的生活。

我们为那一代农民的单调生活而悲伤，也为那个时代的淳朴而感动。现在一切已经过去了，传统和习俗都在改变，只有少数的生活遗迹还存留在那些怀念旧时代生活方式的如玛利亚和老佩普等人的日常生活之中。而我们来到这里也并非是要躲避疯狂竞争的都市生活，现代化大规模农业经营模式迫使我们来到这里寻找更简单的生存方式。我们十分尊重玛利亚和老佩普那代人的传统习俗，但我们也不能照搬保守落后的习惯。我知道仅靠个人零售的经营模式不仅支付不起查理昂贵的学费，就连每天接送查理上下学的汽油费也难保证。

根据我们以前“家里”农场的经营经验，艾莉和我从一开始就明白，如果我们真想在“市长府邸”生活下去，“在阳光下享受生活”的理想只会打消成功的可能性。“市长府邸”不仅是我们的家，还是我们最大的资产，我们谋生的唯一手段。实际上，我们所有的生活都和它紧紧地联系在一起——保护和发展才是我们未来美好生活的保障。

因此，我们积极修建游泳池、烧烤区，把那个破旧的储藏室改建为娱乐休息的空间，贝尔纳特——那位安德拉奇镇普霍尔-塞拉运水公司的司机——说得好：这是最保险的投资。不瞒你说，尽管我知道从发展的角度和前景来看，我们所做的一切都是有益的，但是，农民出身的我仅以主观现实的想法出发的话，到现在我还心疼和自责这些投资。老佩普在游泳池前那些恶作剧的嘲讽深深地刺痛着我——投入到游泳池的资金可以处理多少果园上的事务啊。这是一种矛盾又无奈的自责，可既然决定了，就没有回头路可走。我打心底里也知道，我们做了正确的选择。

那天晚上，我在旧储藏室里把从热亚那村二手店买回来的最后一个壁灯装上，屋里顿时充满了温馨别样的气氛，艾莉穿着高跟鞋噔噔从门外走进来。她刚到帕尔马约见了我们的投资顾问——维克托，他为我们农庄未来一年的收益和利润做了一个可行性报告。

“这灯真好看，效果肯定会很不错！”艾莉说。她进门时，我背对她站着，但我听得出她在门口停住了脚步。

只听咔嚓一声，或者仅仅是我幻觉中的一声巨响，一道蓝光炸裂在我的眼前，突然几秒钟的黑暗，塑料燃烧和线丝熔化的焦煳味道扑鼻而来，呛得我咳嗽了几声。

“他妈的，真该死，”我气急败坏地揉揉眼睛说，“你这个时候打开开关不是找死嘛。”

“噢。对不起，我只是想看看效果如何。”艾莉用小姑娘那种无辜的腔调说道，“嗨，我不是看到这里太黑了嘛。”

“是啊，我知道，刚才是黑了点，可你应该先说一声啊！我正在接线，必须关掉电源，你知道这有多危险吗？”

我看了看自己手上冒烟的电线丝，然后狠狠地瞪了艾莉一眼。她在那儿惊恐地用手捂着嘴，看到我瞪她的目光，她的嘴角露出一丝窃笑。

“真的对不起，我只是想帮你……”

“帮我？你说你是想帮我？艾莉，你知道吗，你差点害死我！你简直是个疯子！”

不知什么原因，艾莉觉得特别好笑，她两条腿交叉着横跨门槛，捂着嘴咯咯咯地笑个不停。“你还好吗？”她笑出了眼泪，眼泪流到脸颊上，她好像还想说什么，但没开口。她反常的举动有点夸张，提高八度的声音、近乎歇斯底里的笑声，竟还笑得滑蹲在门前，两条腿紧紧挤靠在胸前，呼呼喘着粗气，“噢，太好笑了！”她停了下来，尽量让自己的呼吸缓和一些，“不，没什么，我想我笑得快憋不住尿啦！”

“我想我也是的！”心中一阵抽搐，我气喘吁吁地说，“别开玩笑了，我从来也没像刚才这么怕过！”

“看看你自己，”艾莉喘着粗气说，“看看你站在小板凳上满脸灰烟的样子，”她说着用手背擦了擦流在脸上的泪水，

“亲爱的，就像卡通片中大土狼沃利追抓长尾鸟的样子。”

想想自己刚刚逃离死亡边缘那副紧张样子，我也不免觉得好笑。“是啊，”我叹了口气，“我真服了你了，艾莉，你开心就好。”

“谢谢，”她还在那儿笑着，声嘶力竭地，“亲爱的，你就像卡通片里的长尾鸟。”

“哔——哔！”我心如止水地模仿着。

“哔——哔！”艾莉学着我，还在那儿咯咯咯地笑着。

“哼，我想你弄错了那个土狼的名字。”

“真的吗？”

“真的，当然真的，是‘威利’不是‘沃利’。”

艾莉想了一下，疑惑地说：“可是我一直都以为是‘沃利’。”

像这样的谈话时常发生，没有结果，现在看起来我倒真像一个卡通人物了。我小心地从椅子上下来，艾莉还在那里神经质地笑个不停，我坐下来，现在我关心的是维克托对我们未来几个月的生产和经营模式有何评估。

这时，森迪正好接查理从学校回来，我们也刚刚处理完那可怕的灯丝爆裂事件。我正往酒吧架子上摆酒瓶和从卡门家车库里“抢救”出来的啤酒公司赠送的小玩意儿。艾莉也正忙着整理我们在帕尔马欧姆斯街上米格尔先生旧货库里淘到的东西。现在，一切都按照我们原来设想的方案安置就绪，原本昏暗破旧的储藏室立刻焕然一新，变成一个带着英国传统雅致与西班牙乡土风情的“混血”。

“看起来真不错啊！”查理一进门就嚷道。

“是啊，”森迪点着头，赞同地说，“真不赖啊。”

“等一会儿，看看这儿。”我边说边不紧不慢地把刚刚修好的壁灯打开。

“哦，”查理眉开眼笑地说，“太酷啦！”

森迪拍着我的肩说：“你终于拥有了一间私人酒吧，老爸，一个伊甸园！嗯？”

我走进吧台里面对森迪说：“来一杯，先生？”我笑着从吧台下面拿出西班牙淡啤酒和一个德国大酒杯，就像圣诞早上醒来的孩子一样欣喜地对森迪说，“我们应该骄傲地说这是一个国际化的酒吧！”

“别动！先别动！”艾莉指着屋子中央大声喊着，“仪式开始之前，你先检查一下。我想你忘了个重要的东西。”

“啊，斯诺克球台！”查理惊呼，“我们怎么把这个忘啦？”

半小时前，安托瓦妮特·麦克弗森这件慷慨的礼物送到了，漆亮的木质台板，绒毛整洁的绿色台面，长长的杆棍和各色球无不齐全。艾莉看着我们高兴的样子十分满足，她和邦妮一边一个坐在高高的酒吧椅上，手中拿着一杯红酒，等待两个孩子和我在这个装置一新的旧储藏室中展开第一场斯诺克对抗赛。

我们最初计划中的两项DIY工程——娱乐室和烧烤区现在都已如期顺利完工。唯一剩下的游泳池工程也正处于收尾阶段，而且我们也相信巴勃罗·戈麦斯决不延期的保证。晚上，我们一家坐在餐厅中，我们觉得农庄的下一步发展和规划应该和孩子们商量，他们有权关心农庄的发展和建设，特别是对森迪来说，他的年纪已经不小了，他关于自己前途的决定也将与这一切联系在一起。

“孩子们，”艾莉说道，“现在有一个好消息和一个不太好的消息要让你们知道一下。”

“说好消息吧！女士，”查理快嘴接过话茬说，“我今天在学校可是不太愉快。”

“别理他，老妈，”森迪说，“他有一半的时间和我们的生活毫不相同，除了快艇就是那些富家子弟。快说，老妈，怎么啦！好的坏的都说出来吧。”

“好吧，其实维克托今天给我们做的分析我们自己已经预料到了，就是这样。不过好消息就是我们收支已经持平，今年应该也是这样，只要橘子价格不再降，我们的开销不再上涨。”

“这是最基本的生活保障啊。”我主要是对查理说道，“你该知道自己的生活是怎样的，量入为出。”

“那坏消息是什么呢？”森迪急切地问道。

“很简单，应该从长远的角度看问题。虽然我们现在的收支已经基本平衡，但是，你必须防患于未然。比如，拖拉机和汽车的维修或是更新费，增值税或是其他的费用……这些都应该考虑到日常的开销中。”

“是啊，孩子们，”我说，“现在摆在我们面前的现实是，我们已经逼近‘市长府邸’果园的产量极限了。”

“哎，”查理抱怨地说，“别告诉我说我们已经身无分文了，太惨了！”

“是啊，”我告诉他说，“事实上离那样也不远了。”

“你的意思是我们需要再多一些耕地？”森迪立刻领会了我的意思。

“是这样，”我赞成他的说法，“目前看来我们财政上还能够应付过去，但是，我们必须从发展的角度看问题。”

“没有问题，”查理大声地说，“就把老佩佩的那块地买来。对，他不是说过要卖了嘛。”

森迪看出来我们现在面临的不是一个简单的问题。马略卡是一个度假小岛，甚至外表上毫不世故的比如老佩佩这样的农民，也会意识到这里的土地不仅仅具有农业价值。那个安德拉奇送水司机贝尔纳特在圣安东尼节上说的话已经验证了这一点。聪明的森迪也完全能够体会到这一点。

“嗯，对我来说好办啊，”他弓着身子伸了一个懒腰，好像是找到了一种释放，他说，“我这个夏天过后就回苏格兰读大学，那就意味着这里少了一张嘴。我可以利用周末时间到农庄打工。”说到这儿，他看了一眼艾莉，为了使她消除忧虑，他又接着说道，“不用担心，这样不是很好嘛。”

查理这时沉默无语，平日里挖苦的玩笑和讥讽都没有了。我知道他舍不得哥哥，虽然平时他们经常相互嬉闹挖苦，虽然他言语中不曾表露，但是，在查理的心中，森迪是不可取代的。他敬重他，钦佩他，很多方面，查理以森迪为榜样，森迪是他心中的英雄。查理的脸上流露着兄弟情谊，他会想念他的。

我们都会彼此想念。

这一天，当巴勃罗·戈麦斯宣布游泳池工程一切就绪、准备放水时，浓浓的云雾从山谷北边塞斯佩耶斯山上飘过，按照当地的气候特点，这应该是冬天里的最后一场风雨。我们这个游泳池在巴勃罗勤劳的雇工手下一切正常安全地完成了，除了水池的深度比合同上多了一些。

“有一股臭气，朋友，”巴勃罗看着从管道里流进游泳池的水说，“是动物尸体的味道，老鼠、小鸟之类的吧？”

“贝尔纳特告诉我说加了氯就行。”说完，我担忧地想着这些化学物质污染了多少本该用来灌溉橘园的水。

巴勃罗习惯性地耸耸肩膀。“没问题，那些大酒店的游泳池里也是这样，就是有老鼠也没有问题的。”他用力地拍了拍我的后背说，“贝尔纳特说得对，氯会消灭一切病菌的。”

西班牙大陆和马略卡至少在这一点上达成了一致。

游泳池中的水到了需要的量之后，我把开关关上了。突然，巴勃罗从胸前的口袋里掏出一个小塑料瓶，扭开瓶盖，把里面的东西倒入游泳池。

他说这是他午餐剩下的矿泉水，然后补充说：“但是，”他举起手来伸出一个手指，“就这么一点点，也有用，老鼠在海洋中撒尿的时候就这么说的。”

“阿门！你太慈悲啦，巴勃罗。”说完，我把最后的支票递给他，交易完美结束啦。

这天晚上，艾莉和两个孩子在游泳池中玩了很长时间，我心里特别高兴。他们从游泳池中走上来的时候，尽管身上已经冻得有些发紫，看起来却容光焕发。此时，我已经在烧烤区准备好我们今年第一次的露天餐食了。

在森迪离开前这整个夏天的五个月时间里，我们一家可以尽情享受这些崭新的休闲娱乐设施。森迪为我们这个新家无怨无悔的付出让艾莉和我都特别感动，现在，他生命中新的一页即将展开，他选择离开我们，走自己的路，我们只有尊重他的决定，并且衷心地祝福他。

查理也十分激动，虽然他在学校里接触的那些富家子弟的奢华生活方式使他和森迪追求不同，但查理现在还小，我们希望他能够以哥哥为榜样——独立、自强，为自己的未来开创一片新天地。

我们全家围坐在杏树下矮墩墩的木桌旁，快乐地品尝着幸福的晚宴，柔和的光线照射在古老院墙和杏树繁茂的枝叶上，一切都显得那么温馨舒适。

“查理，”我有些伤感地说，“森迪就要离开我们去开创自己的新天地了，说说看你自己未来是怎样打算的啊？”

查理显然想避开我这个话题，他低垂着眼摆弄手指说：“有一次，德卡倒车时，不小心把奔驰车的尾翼在门柱上刮了一下，他当时可真是吓坏了，他发誓如果那次能逃过去，以后就再也不敢啦。”

“那他是怎么逃过去的？”我好奇地问道。

“他告诉他老爸是他老妈喝醉酒的时候撞的，然后他又告诉他老妈说是他老爸喝醉酒的时候撞的，因为他们平时都干过这样的事，所以就都相信了他的话。”

艾莉听后很震惊，她提醒查理这样太危险了，她说这样的行为既让人气愤又让人担心，她告诫查理无论发生什么事情，诚实是最重要的。我就势也警告查理，如果再有此类事情发生，他就别想再和那些富家子弟来往啦。

“但是，老爸，你知道不是只有富家子弟才会编出这样的谎言。”森迪平静地说道，他用另外一种方式庇护他的弟弟，同时又在指责他，“那些贫民窟的街道上，划花车辆、破坏公路的事可不比富人区少。所以，光是切断他和富家子弟的交往也不能解决什么问题，除非他的行为本身可以不用那么白痴。”

查理不好意思地看着我傻笑：“森迪说得没错。”他又觉得应该为自己争取一些机会，“是啊，森迪说的基本上是正确的，嗯，不过，我觉得还是和那些富家子弟在一起比较安全。”

“嗯？”

“嗯，我是说，德卡·奥布赖恩绝不会用那辆奔驰车做出任何疯狂举动，而且，我们再也不去提托斯夜总会了。”

“怎么回事？”

“因为他老爸给他买了一艘小快艇。”

艾莉、森迪和我三个人都哑口无言。

“噢，”查理轻声地说，“是啊，现在假如周末挺寂寞的，我们就可以跳到小艇上去新帕尔马吃个汉堡或薯条什么的，再也不用浪费时间在高速公路上了。”

艾莉和我茫然地互相看看，查理仍然使我们担心。

两个孩子在玩斯诺克，艾莉和我带着邦妮到果园里散步。月光柔和，空气清新，微风拂面，枝叶在低语，鸟儿在啁啾，蟋蟀唧唧，夏日就要来临。我们走到那口古井前驻步，回头望着“市长府邸”清晰的轮廓，二十个月前，弗朗西斯卡·费雷尔与我们在这里买卖农场时的一幕幕都历历在目。

触景生情，一切都是那么熟悉亲切——远处朦胧的山谷，茂密整齐的橘园，土地和青草的芳香。我们抵挡不住这大自然梦幻般的诱惑，也不曾考虑到橘园暗藏的隐患。如今，只有房子已经改变。

白色的围墙，渐淡褪色的百叶窗，房顶上陈旧的陶瓦……现在，月光下游泳池涟漪的水波摇曳闪烁，仿佛在微笑。就像我们的生活，一切都是那么美好！

北方响起轰隆隆的雷声，艾莉握紧我的手臂，邦妮勇敢地对着天空吼叫。

“这是大自然的预报，崭新的明天、一个新的季节来临了！任何困难都会过去，一切都是美好的！”

艾莉用疑惑的目光看着我，“你真这么想？没有什么可担心的？可是我只关心我们的明天会是什么样。”

“我以前说过许多次，在罗马的时候……”

“什么意思？”

“就是说，你现在在西班牙，要用西班牙的哲学对待明天。”

“什么哲学？”

“顺其自然！”

我们两个人同时祈祷——“阿门！”

邦妮仰头冲着月亮狂吠不已。